D0801168

Si vous désirez recevoir le catalogue des éditions ACE,
veuillez envoyer votre carte de visite à l'adresse suivante :
ACE, 13-15, *rue des Petites-Écuries*
75010 PARIS

TERRES D'ENFANCE

L'enfance est-elle un paradis perdu ? C'est à cette question que se proposent de répondre les auteurs de la collection « Terres d'enfance ». A partir de leur région, de leur ville ou de leur quartier d'origine, ils déroulent ici le fil d'Ariane de leurs souvenirs et nous invitent à retrouver les émotions de l'âge tendre.

« Terres d'enfance », c'est tout à la fois une géographie sentimentale et un album de famille dont les photographies se mettent à parler pour évoquer de manière impressionniste un monde de sensations, de goûts et d'odeurs, un univers singulier suspendu entre mémoire et imaginaire.

DU MÊME AUTEUR

ROMANS

Le Chien du Seigneur (Plon-Julliard)
Les Mauvais Pauvres (Plon)
L'Immeuble Taub (Gallimard)
Les Convoités (Gallimard)
Le Fils de Tibério Pulci (Robert Laffont)
Le Péché d'écarlate (Robert Laffont)
La Foi et la Montagne (Robert Laffont)
La Garance (Robert Laffont)
Des chiens vivants (Julliard)
Le Point de suspension (Gallimard)
Une pomme oubliée (Julliard)
Le Tilleul du soir (Julliard)
Un front de marbre (Julliard)
Le Voleur de coloquintes (Julliard)
Un temps pour lancer des pierres (Julliard)
Le Tour du doigt (Julliard)
La Saga des Pitelet : Les Ventres Jaunes. La Bonne Rosée, Les Permissions de Mai (Julliard)
Le pays oublié (Hachette)
La Noël aux prunes (Julliard)
Les Bons Dieux (Julliard)

ESSAIS

Les Greffeurs d'orties (La Palatine)
Hervé Bazin (Gallimard)
Sidoine Apollinaire (Horvath)
Grands Mystiques (Pierre Waleffe)
Solarama Auvergne (Solar)
Drailles et burons d'Aubrac (Le Chêne)
L'Auvergne que j'aime... (Sun)
La Vie quotidienne dans le Massif Central au XIXe siècle (Hachette)

La Vie quotidienne contemporaine en Italie (Hachette)
La Vie quotidienne des immigrés en France de 1919 à nos jours (Hachette)
Histoire de l'Auvergne (Hachette)
Les Grandes Heures de l'Auvergne (Librairie académique Perrin)
Clermont-Ferrand d'autrefois (Horvath)
L'Auvergne et le Massif Central d'hier et de demain (Editions Universitaires)

DIVERTISSEMENTS

Riez pour nous ! (Robert Morel)
Célébration de la chèvre (Robert Morel)
Les Zigzags de Zacharie (Créer)
Jean Anglade raconte... (Le Cercle d'or)
Les Singes de l'Europe (Julliard)
L'Auvergnat et son histoire, B.D., ill. d'Alain Vivier (Horvath)
Fables omnibus (Julliard)

TRADUCTIONS DE L'ITALIEN

Le Prince, de Machiavel (Le Livre de poche)
Le Décaméron, de Boccace (Le Livre de poche)
Les Fioretti de saint François d'Assise (Le Livre de poche)

POÉSIE

Chants de guerre et de paix (Le Sol Clair)

FILM DE TÉLÉVISION

Une Pomme oubliée,
réalisation de Jean-Paul Carrère

Jean

Anglade

Mes montagnes brûlées

récit

ACE ÉDITEUR

Né en 1915 à Thiers (Puy-de-Dôme) fils d'une servante et d'un ouvrier maçon tombé l'année suivante dans la bataille de la Somme, Jean Anglade a été d'abord instituteur, puis professeur de lettres. Agrégé d'italien, il a fait toute sa carrière dans l'enseignement, menant parallèlement une intense activité d'écrivain, explorant tous les genres, avec quelque cinquante titres à son actif. Prix des Libraires 1962 pour son roman *La Foi et la Montagne*.

La région de Thiers (Puy-de-Dôme), où le destin me laissa tomber du ciel, quoique située en bordure de sa province (mais la lisière vaut le drap!), est complètement auvergnate dans sa nature profonde, son langage, ses traditions, son goût forcené pour le travail et la réussite.

Mais elle est en même temps tout à fait différente par son esprit "coutelier", c'est-à-dire avide de bonne chère, de bons boires et de bons rires, son accent méridional, la chaleur de son accueil, l'architecture verticale, cacophonique, ensoleillée de la capitale du couteau, la débrouillardise de son industrie. Un ami italien me dit : "Vous êtes les Napolitains de l'Auvergne!"

Je prends cela pour un beau compliment.

Jean Anglade

Introduction

Depuis saint Augustin, pour peu qu'on se soit élevé à quelque hauteur, ne serait-ce qu'à la cime d'un poirier, c'est devenu une manie de rédiger ses mémoires. Les librairies débordent de « souvenirs » écrits (en principe) par des gens d'épée, de pinceau, de cuiller, de caméra, de micro, de pédale, de raquette. Voire par des gens de plume. Personnellement, je m'étais juré de ne jamais tomber dans cette littérature narcissique, n'ayant accompli nulle prouesse extraordinaire, si ce n'est de m'obstiner à vivre en Auvergne tout en publiant beaucoup de bouquins à Paris ; n'ayant jamais gravi que des poiriers de modeste altitude.

J'y pensais d'autant moins que déjà je me suis raconté cent fois par personnages interposés. Tous les romanciers agissent ainsi : ils ont l'air de parler des autres et ils parlent d'eux-mêmes. J'ai prêté de la sorte à Pierre, à Paul mes amours et mes amourettes ; ce tic que j'ai de me gratter la tête en écrivant, de me chercher des idées comme on se cherche des poux ; ce goût que j'ai dans la rue de caresser la joue des enfants, de parler aux chiens qui me suivent ; ce bonheur que j'eus d'avoir un oncle complètement dingue qui adorait les trophées de guerre et me laissait dormir au milieu de son arsenal ; ce privilège, d'être à l'école communale un spécialiste des problèmes sur le périmètre ; ce malheur, de perdre une sœur avant même de l'avoir connue.

Or voici que j'accepte cependant de narrer à mon tour ma vie et mes miracles. C'est que je m'en tiendrai à ma *terre d'enfance*, comme le veut cette collection : le temps où les miracles ne sont pas encore venus et où même les pleurs, pour salés qu'ils soient, laissent dans le souvenir un goût de sirop. J'accepte aussi par obligation de gratitude envers ma province verte et bossue, stoïque et pauvre, méconnue et calomniée. Mais à laquelle je m'accroche obstinément depuis ma naissance pour y vivre comme je souhaite. Hors cinq années de ma vie passées ailleurs par nécessités militaires ou professionnelles, mon domicile a toujours été Thiers, Clermont-Ferrand, Saint-Gervais-d'Auvergne, Montpeyroux près de Puy-Guillaume, Ceyrat. A ne pas quitter le Puy-de-Dôme des yeux, avec sa bonne tête ronde qui change de pelage comme l'hermine suivant le temps et les saisons. Il m'arriva de recevoir un jour de Pologne une lettre à cette adresse : *Jean Anglade, Auvergne, France.* Alors que tant d'autres me manquent, avec cependant tout ce qu'il y faut de rue et de code postal. Ai-je eu tort, ai-je eu raison de vivre de la sorte si longtemps près de mes raves ? Si je m'étais installé à Paris, comme la plupart de mes confrères, n'en aurais-je pas reçu plus de gloire pour l'Auvergne et pour moi ? Mais Paris a laissé mourir Alexandre Vialatte dans l'obscurité, et ne s'engoue de lui qu'à titre posthume. Mes raves me donnent raison.

Pardonnez-moi donc, Albert Moel, Jules Vendange, Christy O'Behan, Mathilde Dutheil, Sylvain Lévigne, beaucoup d'autres, si un instant je reprends mes billes, le temps de noircir ces deux cent et quelques pages. Mes agates, mes boulets, mes calots, mes simples *gobilles* en terre cuite, plus nombreuses que les autres. Mais très vite je vous les rendrai : elles vous appartiennent désormais plus qu'à moi.

Thiers en entier.

En maintes paroisses d'Auvergne, un grand-père s'appelle, dans le langage local, un *Grand ;* une grand-mère, une *Grande.* Je crois avoir trouvé les mêmes vocables dans le provençal d'Alphonse Daudet. Ces similitudes sont naturelles, puisque nous appartenons à la même famille linguistique. Les habitants de Thiers et de sa région ont d'ailleurs un accent quelque peu méridional qui la fait appeler « le midi de l'Auvergne », bien qu'elle en occupe plutôt une encoignure septentrionale. On y a le verbe haut, l'accueil joyeux et les rues y résonnent de dialogues de cette espèce :

« Bonjour, m'ami ! Y a longtemps que t'es revenu du service ?

— Bonjour, tata ! Non, j'arrive que.

— T'as pas bonne mine, povre belou ! On te donnait donc rien à manger, à la caserne ?

— Si bien. Mais la nourriture me convenait que bravement. Elle me rendait tout gonfle. Alors, au lieu d'en profiter, je me retenais que.

— Bonnes gens ! Dire que c'est moi qui t'ai élevé après la mort de ma povre sœur, et qu'à présent tu me dépasses de la tête ! Pourtant, tu valais peu, quand t'étais petitou ! Tu écoutais rien ! Rien ! Daru comme une bourrique ! Ah ! On peut dire que tu m'as fait jurer quelques bonnes fois ! On peut le dire !

— Et vous, tata, est-ce que vous étiez pas un peu calamastre, qu'on m'a dit ?

— Calamastre, moi ? Moi, bonnes gens !... Écoutez cet emplène ! Ce mauvais sujet qu'ose traiter sa tata de calamastre !

— Je répète que.

— Qu'est-ce tu répètes ?

— Ce que disait le tonton : que vous êtes, quand vous le voulez, une fameuse calamastre.

— Le tonton est un essargaillé, un barbouille-bachà, qu'a même jamais su causer le français ! »

Après quoi, on échange des bises et l'on se quitte sur ce vœu : « Ménage-toi... Ménagez-vous... »

Le parler des Thiernois ne comporte aucune voyelle fermée ; les *o*, les *a*, les *è* y sont ouverts comme des portes de grange. On prononce un *sabò*, un *escargò*, un *degrê*, un *canârd*. Rien d'étonnant si, parmi les nombreux sobriquets dont on les honore, il y a celui de *badobè :* ouvre-bec. Car ils n'ont guère le temps de refermer la bouche : soit qu'ils mangent, soit qu'ils boivent, soit qu'ils dorment, soit qu'ils se désopilent, soit qu'ils chantent, soit qu'ils disent simplement le *cervelâs*, les *z'haricòs*, le *cabinêt.* Tout cela farci de *bonnes gens !* Exclamation par laquelle ils expriment leur tendresse et leur pitié, à l'égard des autres ou d'eux-mêmes, comme font les Provençaux avec leur *peuchère*, les Vellaves avec leur *bessaigne*.

Cet accent, ce vocabulaire particuliers s'expliquent par le bilinguisme traditionnel des Auvergnats véritables. Il en fut ainsi jusqu'au début du XXe siècle. Dans les campagnes, dans les villes et même à Clermont le Riche, le Fier, l'Instruit, chacun s'exprimait quotidiennement dans le dialecte local, descendant du beau langage troubadouresque qu'ont illustré Pierre d'Auvergne, le Moine de Montaudon, Pierre Cardinal, le Dauphin de Montferrand. Interdit par François Ier, puis de nouveau par la Révolution jacobine, prohibé des écoles par les instituteurs républicains, il devint le *patois*. C'est-à-dire la première langue, celle des *pères* et de la *patrie ;* en conflit avec le langage importé, endimanché, celui de Paris, celui du journal, celui de la caserne qu'on employait seulement dans les circonstances solennelles, ou bien à l'usage des non-Thiernois. Il n'empêche qu'à cohabiter dans les cervelles, les deux idiomes s'influencent réciproquement. Le français introduit dans le patois des termes nouveaux, qui complètent ou effacent les anciens. Là où les très vieilles personnes voyaient dans le ciel orageux s'approcher *de soma néra* (des ânesses noires) annonçant la pluie, les moins âgés y distinguent *ino perturbochó* (une perturbation). Inversement, le patois impose au français son vocabulaire, sa syntaxe, sa prononciation. Un simple exemple :

Français de Paris : Pourvu qu'il nous entende !
Patois de Thiers : Ma qu'o nou icoute !
Français de Thiers : Mais qu'il nous écoute !

Naturellement, ce franco-patois est le vernaculaire

des gens d'humble culture. Ceux qui ont fréquenté les cours complémentaires, les collèges, les lycées, les écoles de commerce ou de secrétariat, ont une meilleure connaissance du langage de Paris. Du moins conservent-ils dans le leur ces voyelles béantes, ces consonnes explosives, imprimées par un patois que sans doute ils ne pratiquent plus. Ainsi, les pots de grès de ma mère, qui avaient précédemment contenu du saindoux, remplis ensuite de confiture, lui communiquaient-ils une saveur de rance indélébile.

Je goûtai de très bonne heure à cette confiture : le premier jour où j'entrai dans l'école communale du Moutier. Je portais un paletot marine, taillé dans une vareuse militaire que mon père avait abandonnée lors d'une permission. Il fut tué dix-huit mois plus tard près de Cléry (Somme) ; malgré mes recherches répétées, je n'ai pu le découvrir en aucun cimetière. Son corps s'est dissous dans la terre picarde ; mais la Patrie ne nous le prit pas tout entier, puisqu'elle nous laissa de lui cette veste de drap bleu. Le premier octobre 1920, donc, ma mère me posa sur les joues deux bises un peu mouillées, me dit *o revire* et me confia à notre voisin, M. Méliodon, qui se trouvait être le directeur de ladite école. Il avait de longues jambes, moi de courtes ; le trajet me parut interminable. C'est donc en tenue de chasseur alpin que j'entrai dans la classe de M. Bargoin. Et tout de suite, épuisé par la marche, je m'endormis sur la table, la tête entre les bras. Un somme court dont je fus tiré doucement par la main de l'instituteur qui posa devant moi un livre rose. Je le repoussai, disant : *« Co i pa lo peno : sabe pa legí. »*

Ce qui le fit bien rire : « Ce n'est pas la peine ? Tu ne sais pas lire ? Justement, ce livre va t'apprendre. Et puis, défense de parler l'auvergnat ! Ici, tu es en France, tu dois parler français. »

L'instant d'après, il me munit d'une ardoise qui sentait le vernis et d'un crayon tendre que je cassai en deux au premier essai. Le maître me fit dessiner des *O*. Sans oublier la queue : à droite, à gauche, en haut, en bas. Voilà comment débute une carrière d'écrivain. Quand j'eus rempli la première face avec mes *O* de toutes dimensions, des gros comme des œufs, des petits comme des perles, il dit : « C'est très bien. Continue de l'autre côté ». A onze heures, voyage inverse. « Remarque bien le chemin », me recommanda M. Méliodon. De très loin, je reconnus ma mère qui, de sa fenêtre, me faisait des signes et m'envoyait d'autres baisers. L'après-midi, avec de la salive, j'essayai sans succès de recoller les deux moitiés de mon crayon d'ardoise. La classe comprenait trois divisions : les petits, les tout-petits, les minuscules. J'étais dans les minuscules. M. Bargoin s'occupait de nous quand les autres lui laissaient une minute. Comme on lance un os à une bande de roquets affamés, il nous jetait un *I* par-ci, un *A* par-là, quelquefois un chiffre. Le bilan de cette première journée fut cependant extrêmement positif : je possédais à fond la technique du *O* à queue. Et je pressentais ma double nature d'Auvergnat et de Français.

La France, l'Auvergne, mes deux patries complémentaires venaient ainsi à moi subrepticement, par la petite porte. L'une restait confinée dans le bâtiment décrépit de l'école ; elle sentait la poussière, l'encre, le jus de chaussette. L'autre m'attendait au-dehors, avec ses hectares de ciel, ses montagnes, ses prés, le crottin de ses petits ânes. On me montra, cloué au mur, un portrait de la France : son long nez, ses veines bleues, ses côtes bistres ; parsemé de points innombrables comme les yeux sur le bouillon. Elle mit des années à être autre chose pour moi que des cartes, des leçons, des poésies qu'on récitait sur une estrade en les scandant avec un doux balancement du derrière :

Adieu, charmant pays de France
Que je dois tant chérir !...

Sitôt le portail franchi, l'Auvergne au contraire vivait, parlait, chantait, riait, grouillait dans la rue autour de moi, me prenait par la main, par les yeux, par les oreilles. Je l'entendais dans la bouche de ma mère où mon prénom français de « Jean » devenait *Djantou, Djantouní*. (Plus tard, j'eus droit à un autre, dont je reparlerai.) Le patois fut vraiment ma langue maternelle. Je nous revois, dans mes plus lointains souvenirs, parmi les fleurs et les cassis qui entouraient la Maison Rose, ma mère déjà veuve, moi déjà orphelin, elle me tendant les bras et les lèvres et me disant sans cesse : « *Boco-me !* Embrasse-moi ! » Tels furent sans doute les deux premiers mots de notre vocabulaire. Et je me rappelle aussi ses tout derniers, cinquante ans plus tard, lorsqu'une ambulance vint la prendre à l'hôpital où l'on renonçait à la soigner et l'emmena, en compagnie de ma sœur, jusqu'à sa maison où elle devait mourir en paix le lendemain :

« *Can nou tornoren ma vire, arò ?* Quand nous reverrons-nous seulement ? »

La question reste posée.

En cette période bienheureuse de mes commencements, ma famille entière ne s'exprimait aussi qu'en auvergnat. Chaque fois que quelqu'un de chez nous se risquait à *franciser*, c'est-à-dire à employer la langue nationale, il suscitait la critique et la moquerie, comme s'il eût voulu faire un exercice qui dépassait ses forces. Ainsi le jour où ma Grande s'adressa en ces termes au curé qui venait chez elle, et dont elle avait identifié la voix à travers la porte :

« Je vous avais *recognigu* (reconnu) à votre *parlage*.

— On ne dit pas *votre parlage*, grande bête ! la reprit sévèrement mon grand-père. On dit *votre parlement.* »

A quatorze ans peut-être, enfariné de grammaire et d'étymologies, j'accompagnai ma mère chez *BRAVARD*, le magasin de confections, au fond de la rue Conchette, où elle voulait m'acheter ma première paire de vrais pantalons, je l'avais bassinée durant des mois, *Chato-me de bralha !* Achète-moi des pantalons ! J'en avais assez de montrer mes genoux et mes mollets. Au vendeur qui nous reçut, elle annonça :

« *Vodjò en par de bralha po què drole.* (Je voudrais une paire de braies pour ce gamin.) »

Et moi, que ma culture rendait honteux de ce baragouin :

« Parle français, voyons ! On ne te comprend pas ! »

Mais elle, imperturbable : « *O te onto de so mouére ! Vou me comprègné-co, Mossieu ?* (Il a honte de sa mère ! Est-ce que vous me comprenez, Monsieur ?)

— *Surà qu'i vou comprègne, poro fenno !* » (Pour sûr que je vous comprends, ma pauvre femme !)

Je n'en étais pas encore à m'enorgueillir de mon bilinguisme.

Ces badauds de Thiernois ouvrent les yeux aussi bien que le bec au spectacle du monde. Ah ! pour eux, le soleil ne perd pas son temps quand il se couche, les beaux soirs d'été, à l'horizon occidental, derrière la chaîne des Dômes, au milieu du ciel rouge comme l'*Internationale !* Les *badobè* sont alors à leurs fenêtres, ou alignés sur le Rempart, ou assis à la terrasse du café Glacier, les yeux remplis d'admiration, le cœur de gratitude ils ne savent pas bien pour qui : pour le soleil, pour le puy de Dôme, pour le Créateur de ces merveilles, pour leurs ancêtres qui ont eu l'audace d'accrocher la ville à ses pentes escarpées, pour leurs père et mère qui leur ont donné si bonne vue, pour le propriétaire du Glacier qui a des chaises si confortables. Et ils béent d'étonnement et du bonheur d'être Thiernois.

Nés badauds et fiers de l'être, ils se rassemblent instantanément autour de n'importe quel bateleur, charlatan, vendeur de poudre de perlimpimpin. Ils adoraient naguère les chanteurs et musiciens des rues ; les marchands d'oublies, de nougats, de marrons chauds ; les spectacles organisés ou spontanés dans lesquels ils étaient en même temps acteurs et galerie : cirque, foires, marchés, meetings, manifestations politiques. Lorsque Barnum vint pour la première fois les honorer de sa visite, la moitié de la ville, porteuse de torches au milieu de la nuit, processionna quatre kilomètres jusqu'à Pont-de-Dore pour aller au-devant de sa caravane. Mais ils se réalisent pleinement le 14 septembre, jour de la Foire du Pré, leur fête nationale. Je veux chanter ici cette foire millénaire, digne d'un long poème. Inspirez-moi, ô filles de Mémoire ! Je dirai ses nuages de barbe-à-papa, son ciel rempli de balançoires, le vacarme des piqueupes, des autos tamponneuses, l'éblouissement des chevaux de bois et des baraques magiques, l'optimisme des diseuses de bonne aventure, les trinqueries et les éclats de rire des buveurs sous la tente. Je chanterai ses jeux de massacre où le bon peuple s'en donne à cœur joie contre l'évêque, le général, le policier et tous les beaux messieurs qui le gouvernent. Ses lutteurs aux gros biceps, ses acrobates blancs, ses gorets roses, ses potirons fessus. Instituée par les moines de l'abbaye du Moutier qui trouvaient là une occasion de vendre les produits de leurs domaines, *lo féro do Pra* se donne dans une vaste prairie qui occupait naguère toute la plaine inclinée qui s'étend de la rive gauche de la Durolle jusqu'aux collines du Breuil. C'est donc d'abord une foire aux bestiaux, aux melons, aux échelles, à la boissellerie, aux quincailles, aux frippes, aux casquettes, aux andouilles, qui envahissent les rues, les places, les parkings. Le pont aux Choux, avec son dos d'âne qui lui donne un petit air vénitien (il y eut jadis de la navigation sur cette rivière, comme l'attestent la proche place du Navire et la nef qui figure dans les armes de la cité), ce pont, dis-je, est occupé par les Romanichels qui y étalent les produits de leur artisanat : paniers, corbeilles, dentelles, chaises paillées, fauteuils de rotin. Mais c'est avant tout une fête populaire qu'on prépare depuis des semaines, dont on rêve depuis des mois. Les Thiernois ont invité pour le 14 septembre tout leur cousinage : afin de coucher ces parents lointains, on dédouble les lits, on installe des matelas et des paillasses dans les chambres, les couloirs, les escaliers. Chaque mère de famille a fait ses comptes : « Nous serons douze. Cuisinons pour trente-six ». Car la foire ouvre terriblement les appétits. Alors, on a préparé des tripes à consommer dans la matinée, tout de suite après la soupe de l'aube ; des *rapoutets*, c'est-à-dire des talons bien durs, bien momifiés du jambon sec, ils gonfleront au four, sur un lit de pommes de terre ; du coq au vin ; de la salade à l'huile de noix. On a fait provision de fourme bleue et de chèvretons blancs. Au dessert, ils auront des *guenilles*, des *guenilles*, des *guenilles !* Celles-ci s'imposent à trois moments de l'année : au temps du

Carnaval, pour la foire du Pré et dans n'importe quelle autre circonstance. Voici comment les préparait ma mère. Pour douze personnes. Ou pour six vrais amateurs. Elle pétrissait ensemble environ une livre de farine, cinq œufs, cinq cuillerées à soupe de sucre, un demi-sachet de levure et un verre d'« huile du casino » : de la plus insipide qui fût. (Mais les riches remplaçaient l'huile par du beurre ramolli). Elle ramassait cette pâte bien consistante en une boule qu'elle laissait au frais dans une terrine une dizaine d'heures. Toute la nuit suivante, la pâte réfléchissait au bonheur qu'elle allait donner, s'en pénétrait et en gonflait de joie. Le lendemain matin, ma mère débarrassait la table de sa toile cirée, farinait le bois nu, y étalait sa pâte avec une bouteille vide (mais un rouleau à pâtisserie fait aussi bien l'affaire), la changeait en une feuille épaisse de trois millimètres. Avec la pointe d'un couteau ou bien une roulette, elle y découpait alors des formes diverses : losanges, cœurs, ronds, trapèzes, rectangles. Vous comprenez maintenant pourquoi l'on dit d'un ivrogne qui chemine en zig-zag dans la rue :

« Celui-là, il taille les guenilles ! »

Elle mettait enfin ces éléments à frire dans un bain d'huile très chaud. Elles gonflaient, se doraient, se relevaient quelquefois par un bout comme si elles voulaient faire le *pico-perey*, « planter le poirier ». Signe qu'elles étaient cuites à point. Ma mère les retirait avec l'écumoire de fil de fer, les entassait sur une assiette, les saupoudrait de sucre cristallisé. Les *guenilles* peuvent se manger brûlantes, tièdes, froides et même légèrement durettes toute la semaine qui suit. Comme elles étouffent un peu, après la sixième, poussez-les avec le vin d'Escoutoux ou des Garniers... On raconte que les vénérables fantômes qui habitent les galetas de ces vieilles maisons se lèvent la nuit pour les finir s'il en reste. Les fantômes ont bon dos !... Ne laissez donc pas vos *guenilles* sans surveillance.

Ainsi attendus, les parents lointains arrivent à l'heure dite, avec leurs chapeaux neufs et leurs souliers cirés, puant la naphtaline, les fromages, les saucissons, les poules saignées qu'ils apportent. Le 14 septembre, jour de l'Exaltation de la Sainte-Croix, toutes les écoles, laïques ou chrétiennes, sont closes. De même les administrations, les tribunaux, le magasin des pompes funèbres. Les médecins ne soignent plus, les malades se lèvent de leur couche, les mourants renoncent provisoirement à mourir. Dès l'aube, un flot humain dévale les voies pentues (elles portent toujours dans ma mémoire leurs anciens noms : rue du Piquet, rue des Barres, rue Neuve, Chemins-Neufs, rue des Groslières, Malaurie, rue du Pavé, route de la Vallée), se répand dans le pré, remplit les bistrots et les buvettes. Traditionnellement, la foire est boueuse : dans ce passage de l'été à l'automne qu'est la mi-septembre, les pluies ont détrempé la terre ; mais le soleil brille tout de même. On barbote joyeusement, crotté jusqu'aux genoux. Aux tirs à la carabine, les balles font clang ! contre la tôle du fond. L'air sent la poudre, la guimauve, la sueur de fille. Les clowns font du ramdam sur leur estrade.

Dois-je raconter le vergogneux épisode de la baraque aux guillotines ? Allons, je me suis promis de tout dire. La toile extérieure représentait des femmes en costume de bain, et aussi Ève toute nue, mal enveloppée de ses cheveux et croquant une pomme. Un bonimenteur en queue de pie s'adressait à la foule :

« Le spectacle, mesdames et messieurs, est visible aux personnes des deux sexes âgées d'au moins dix-huit ans. Vous y admirerez les danses les plus gracieuses, exécutées par des artistes des Folies-Bergères de Paris, venues à Thiers pour honorer la coutellerie. Je vous recommande spécialement Mlle Mimi, danseuse étoile, que vous pourrez apprécier par la vue et par le toucher. Je dis bien : par le toucher ! Oui, messieurs ! Il vous sera permis d'entrer en contact avec sa personne, dans des conditions qui vous laisseront un souvenir inoubliable ! »

Des clients sortaient de la baraque, rouges comme des piments, l'œil confus, la bouche rigolarde.

« Demandez à ces messieurs si le spectacle mérite d'être vu ! » continuait l'homme noir.

Et eux de hocher la tête, l'air convaincu, pour sûr qu'il en vaut la peine, on en a pour son argent, celui qu'a pas vu ça a rien vu, on regrette pas. Le bonimenteur donna même un échantillon de la vedette :

« Mademoiselle Mimi, un petit salut à vos futurs admirateurs ! »

Par un trou de la toile sortit un bras blanc, plutôt

potelé ; une main lâcha une poignée de confetti. Les clients déjà servis roulaient les yeux, gonflaient les joues, claquaient la langue. Je n'avais pas dix-huit ans ; mais je savais que je paraissais plus que mon âge. Poussé par le désir de m'instruire, je décidai de tenter l'expérience et fis la queue derrière une trentaine de spectateurs, me tenant sur la pointe des pieds pour me grandir. Les places coûtaient quarante sous. La caissière fit mine de ne pas lire sur ma figure mes treize printemps, et accepta ma pièce. Un contrôleur nous canalisa vers une espèce de couloir de bois et de toile, très obscur. Quand il fut occupé sur toute sa longueur, soudain, à droite de la file, s'ouvrit une série de hublots par où entrait la lumière de la scène.

« Messieurs, commanda une voix invisible, que chacun veuille bien passer la tête dans la fenêtre ronde qui se trouve devant lui. »

Je m'exécutai et pus voir de l'autre côté le podium, vide encore, où les danseuses allaient évoluer. Je vis aussi les crânes des autres spectateurs, disposés en cercle autour de la piste, sauf sur la largeur d'une tenture qui devait fermer les coulisses. Tous avaient ainsi l'air de brigands condamnés à la guillotine, qui ont déjà fait culbuter la planche, enfoncé le cassis dans la lunette et attendent la suite des événements : le couperet a dû se coincer en haut quelque part ? Ils se demandent à présent ce qui se passe, si l'on se moque d'eux, si c'est une grève sauvage des bourreaux ou quoi. Brusquement, pour achever l'illusion, clac ! chacun sent sur la nuque tomber le froid d'un objet inconnu. Heureusement, ça ne coupe pas. Il s'agit seulement d'une sorte de levier qui les coince dans cette posture et les empêche de reculer.

Un phonographe se met en route et déverse une java de Mistinguett. La voix invisible poursuit : « Messieurs, ouvrez les yeux tout grands ! Voici Mlle Mimi, danseuse des Folies-Bergères ! »

La tenture s'écarte, laisse paraître une sorte de moukère qui exécute la danse du ventre. Elle porte autour de la bedaine un bourrelet pareil à une bouée de sauvetage. Sur ses cuisses, les veines forment des dessins à l'encre violette. Elle se trémousse, agite son lard, braque son nombril dans toutes les directions. Les têtes des guillotinables ouvrent des yeux éberluées.

« Et maintenant, messieurs, annonce le fantôme, voici venu l'instant que vous attendiez. Vous avez vu Mlle Mimi : vous allez la toucher ! Chose promise, chose due ! »

Ce ne sera pas facile : les mains sont prisonnières de l'autre côté de la cloison. Mais Mlle Mimi a sa technique. Elle fait machine arrière, se penche en avant et frotte gracieusement son énorme postérieur contre la face du premier condamné. Puis contre celle du second, du troisième du quatrième. Vient mon tour. J'en ai la vue obscurcie et le souffle coupé. Lorsque chacun se trouve servi, la tringle se relève et nous libère.

Voilà pourquoi, en sortant de l'établissement de toile, les clients faisaient de la propagande pour le spectacle, c'est vraiment beau, on en a pour ses deux francs. Plus un mal est répandu, plus il est facile à supporter.

Mais il faut d'abord que je présente et situe Thiers, ma ville natale, bien que je n'y sois né qu'administrativement. A cause de sa situation bordurière, aux confins du Puy-de-Dôme, de la Loire et de l'Allier, l'auvergnacité de la région a été plus d'une fois mise en doute. Qu'est-ce donc au juste qu'un Auvergnat ? Alexandre Vialatte le résume ainsi : « Un homme vêtu de noir, coiffé d'un chapeau de même métal, qui élève des vaches rouges et vend de l'eau minérale ». Sans doute. Mais c'est un peu simplifier les choses et le monde. Car s'il existe des Auvergnats à vaches rouges, il en est aussi à chèvres blanches, et à cochons bicolores. Les marchands d'eau sont frères des débitants de vin installés à Paris sous le nom de « bougnats » ; à moins qu'ils n'aient préféré demeurer au pays pour boire et faire boire une bibine aigrelette que ne peuvent supporter que des gosiers aguerris ; aussi se mettent-ils souvent à trois pour la consommer : l'un présente la tasse, le second essaye d'y boire, le troisième retient le second par-derrière pour l'empêcher de reculer. L'essentiel est la vêture sombre ; la blouse amidonnée, raide comme la bruyère, brillante de tous ses plis ; les pantalons de velours ou de droguet ; les vastes chapeaux, et ils sont de deux styles comme nos volcans : les creux et les bombés ; les moustaches gauloises ; les sabots de bois, parfois les brodequins ferrés quand on s'endimanche ou s'enjeudise, selon la foire ou le marché. Les cartes postales reproduites en fin de volume attestent qu'à cet égard la population thiernoise est de surface parfaitement auvergnate. Elle l'est aussi en profondeur, comme on l'admettra à la lecture de ces pages.

Le timbre postal répand cette définition : *Thiers, capitale de la coutellerie.* Ajoutons, par modestie et réalisme : de la coutellerie *française.* N'en déplaise à Nogent-en-Bassigny, spécialisé dans les ciseaux et les outils tranchants. A Cognin-en-Savoie où se fabrique le couteau de poche bon marché, sans ressort, à manche de bois, à virole tournante. Et même à Paris qui bien souvent commande à Thiers ses « estampes » sans qu'il y paraisse. Édifiée sur le versant occidental des Bois Noirs — celui qui regarde la Limagne — la ville ressembla longtemps, vue du ciel ou sur le plan du calendrier des postes, à un lézard qui descend, les pattes bien écartées, vers la Durolle pour y boire. Cette rivière torrentueuse, née aux abords de Noirétable (Loire) s'est ouvert dans la chaîne cristalline, à force de siècles de patience, une gorge encaissée, au fond de laquelle elle dévale, chantante et sautillante, vers la Dore dont le beau nom celtique signifie « eau claire et courante », et que glorifia Chateaubriand :

Ma sœur, te souvient-il encore
Du château que baignait la Dore ?
Et de cette tant vieille tour
Du More
Où l'airain sonnait le retour
Du jour ?

(Mme de Chateaubriand écrivit dans ses mémoires : *1805. Fin Août. M. de Chateaubriand vint nous rejoindre à Vichy. Je dis adieu à Mme de Coislin et nous partîmes pour la Suisse. Avant d'arriver à Thiers, nous traversâmes la petite rivière de la Dore. Son nom donna à M. de Chateaubriand une rime qu'il n'avait jamais pu trouver pour un des couplets de sa romance des « Petits Émigrés », composée sur un air des montagnes d'Auvergne.* Y a-t-il plus beau cadeau à un poète que celui d'une rime ?)

Pressée par ses rives abruptes, entraînée par la forte pente, la Durolle fut mise au turbin de bonne heure. Les riverains construisirent des moulins à farine et à papier, plus tard des ateliers de coutellerie, *rouets* et *martinets*, dont elle faisait tourner les roues à aubes. De plus, on raconte que son eau possède des vertus spécifiques qui conviennent au blanchiment de la pâte et à la trempe des aciers, ce qui expliquerait que... La légende a le goût des explications métaphysiques.

Venant de Lyon et suivant la R.N. 89 — anciennement dénommée « le Cordon » — vous entrez donc, après une série de tournants d'une effrayante beauté, dans le lézard thiernois par sa patte arrière gauche. A moins que vous n'empruntiez la récente autoroute Clermont-Saint-Étienne qui, à travers de superbes forêts, vous élève au point culminant de toutes les autoroutes françaises, 671 mètres, d'où vous découvrirez Thiers par les toits. De toute façon, la ville est construite de façon si biscornue, toute en plis et replis dissimulés, que, de quelque endroit qu'on la considère, affirme un proverbe local, on ne voit jamais de Thiers qu'un seul tiers. Ce qui expliquerait son nom.

La plus large vision qu'on puisse avoir d'elle, cependant, on la reçoit en venant de Clermont. D'abord, on n'y croit pas : elle a l'air d'une ville de théâtre, peinte sur une toile de fond. Avec ses maisons blanches dans la partie haute, noires dans le bas. Comme si pour celles-ci le soleil ne s'était pas encore levé. On s'approche, et l'on doit bien convenir qu'il s'agit de maisons, en effet. A colombages et encorbellements, comme celles d'York. Certaines se menacent jusqu'à se toucher front à front, pareilles à des chèvres en colère. Jetées ainsi à la six-quatre-deux sur le flanc de la montagne, elles rappellent — les couleurs en moins — le bourg sarrasin de Positano : telle d'entre elles qui ne présente qu'un étage sur la rue supérieure en a quatre sur la rue inférieure. Les voies sont étroites et tortueuses, les habitants peuvent se serrer la main en tendant le bras d'un côté à l'autre, comme à Naples. Plusieurs sont disposées en paliers successifs, voire en escaliers que partage une double rampe centrale sur laquelle mes dix ans s'usaient le ventre en glissades. Certaines ont une pente vertigineuse ; deux ou trois transversales seulement permettent au visiteur essoufflé de reprendre haleine. A gauche, balafrée par l'autoroute, la montagne sur laquelle le plus gros de la ville est bâti s'élève très vite vers le plateau de Saint-Rémy-sur-Durolle. A droite, le profil de Margeride évoque curieusement une figure à bicorne, appelée ici « la tête de Napoléon ». Depuis mon enfance, des pinceaux de végétation lui ont poussé sur le menton et sur le nez : il aurait grand besoin qu'on l'épile. Qu'attend le *Syndicat d'Initiatives* pour prendre celle-ci ?

Les Thiernois portent allègrement, sans en souffrir, comme on porte sur l'oreille un chapeau gibus cabossé, deux autres sobriquets. Le premier est celui de *Mange-Chèvres*. Souvenir d'une époque où le pauvre coutelier achetait pour ses besoins familiaux quelques morceaux de porc et une vieille bique dont il attendrissait la chair filandreuse à coups de marteau sur son enclume. Il disposait ensemble tout cela dans le même saloir pour les jours froids, afin qu'elle empruntât, par voisinage, un peu de la saveur porcine. Le chevreau insipide était assaisonné à l'ail et au persil, cuit au four du boulanger sur un lit de pommes de terre. Mais l'animal le plus avantageux était le *biscarrat*, c'est-à-dire la bête hermaphrodite, ni chèvre ni bouc, inapte à la reproduction, qu'on laisse grandir un an et qu'on sacrifie sans qu'elle ait rien compris à ce monde plein d'iniquité : sa chair allie la tendreur à la fermeté.

Ces goûts caprins nous valurent au siècle dernier d'être mis en chanson, sur l'air de *Madame Capulet :*

Lou abitan de vé Tchè
Son de gran mouijeu de chabro,
En bió ten mo en ivè

E lou tri ca de lo nado.
Lou boché nen mènon qu'oco fey frémí :
Bien soven, nen sannon dou cen djin-t-en si.
Lou chomí son niè de tropió de chabra
E bien de mouénagi fason de soùça
Embi de chobrí,
Soven de mortchí... [1]

Partout sur la terre, les hommes ont ainsi coutume de surnommer le voisin selon ce qu'il mange, comme si quelque vice ou vertu de ladite nourriture devait lui entrer dans le caractère. J'accepte donc, à côté des Italiens-Macaronis, des Anglais-Rosbeefs, des Français-Grenouillards, d'être un Thiernois-Mange-Bique, car j'apprécie l'esprit d'indépendance de cet animal qui ne sait pas ce qu'obéissance veut dire, mange le défendu et refuse l'autorisé. Une vraie anarchiste. Les maisons de Thiers, je l'ai dit, s'affrontent deux à deux comme des chèvres. Les habitants ont la tête comme elles, pleine de caprices, de colères subites, d'engouements irréfléchis. Je les connais bien, pour les avoir longtemps gardées dans mon enfance, en compagnie de ma tante Marie ou de ma Grande Antoinette. Je souhaite à mes meilleurs amis de ressembler à la chèvre. Elle m'a éduqué de ses principes, nourri de son lait et de son fromage,

1. Les habitants de Thiers / Sont de grands mangeurs de chèvre, / En été comme en hiver / Et les trois-quarts de l'année. / Les bouchers en amènent à vous faire frémir : / Bien souvent, ils en saignent deux cents le même soir. / Les chemins sont noirs de troupeaux de chèvres / Et bien des ménages font des sauces / Avec des chevreaux, / Et parfois des boucs...

le chèvreton. Rectangulaire comme une brique, séché sur la paille en sorte que chaque brin y laisse une douce ride. A la différence du fromage de vache, il s'offre toujours en petits volumes afin d'être, non englouti, mais finement découpé, savouré dans le recueillement. Les Thiernois continuent de le préférer à tous les autres. Ils connaissent la manière exacte d'en traiter la croûte. Non point de l'enlever, mais de promener la pointe légère d'un couteau sur son velours, afin de faire tomber les barbes d'épi, les *artisons* en excès que la langue officielle appelle « cirons », pour en former au bord de leur assiette une farine brune pareille à celle du pain cuit. Avec de bons yeux, vous y verriez ce monde infiniment petit qui donnait le vertige à Blaise Pascal. Il faut respecter ces bestioles qui apportent au chèvreton un supplément d'âme.

Le troisième sobriquet des Thiernois est le plus mystérieux : celui de *Bitords.* Tous les philologues se sont cassé la tête pour en comprendre l'origine et le sens exact. Au XVIIIe siècle, le voyageur parisien Legrand d'Aussy, rencontrant ce mot-là, n'en crut pas ses oreilles et l'entendit *Butor.* Par analogie avec cet oiseau des marais, gauche et lourd, qui enfonce le bec dans l'eau et souffle en faisant un bruit de trombone, on traite de butor n'importe quel individu brutal et grossier. Je ne crois pas que ces deux adjectifs conviennent à mes compatriotes, même à ces mal lavés, mal rasés, mal instruits, mal éduqués dont j'ai parlé ailleurs. Souvent moqués de leurs voisins pas mieux appris :

Bitò ! Tchou to !
Chambo de pouò !
Boco mon tchou,
Saren d'ocò ![1]

A la moindre marque d'intérêt qu'on leur témoigne, ces « butors » répandent autour d'eux une pluie gratuite de couteaux, de ciseaux, de rasoirs, de sécateurs, d'ouvre-boîtes. Nul Thiernois, quelle que soit sa profession, n'achète de couteau pour lui-même. Si c'était vrai, cela prouverait qu'il n'a jamais gagné la sympathie d'aucun coutelier. A Thiers, on vous donne un couteau comme ailleurs on vous donne le bonjour. Même si quelquefois, et par plaisanterie, on prend soin de vous demander en paiement la plus petite pièce de votre porte-monnaie, « pour ne pas couper l'amitié ». Non, *butor* n'est pas la bonne étymologie.

Les gens savants en proposent une seconde : le mot viendrait de *bi-tors* et voudrait dire deux fois tordu. Celle-ci me semble plus plausible. Couchés sur leur planche ou pliés sur leur meule, dans les ateliers humides, sombres, sans air, respirant la poudre d'émeri, la limaille de fer, la poussière des cornes, les mains dans l'eau ou dans le feu, estropiés par les accidents, liés à leur meule, à leur étau, à leur enclume jusqu'aux abords de la décrépitude, les couteliers en effet arrivaient au terme de leur vie en

1. Bitord ! Cul tors ! / Jambe de porc ! / Baise mon cul, / Et nous serons d'accord !

piteuse condition physique. Les rhumatismes les nouaient, la tuberculose les minait. Souvent d'ailleurs le mal commençait avant même leur naissance : beaucoup d'émouleuses, en situation dite intéressante, continuaient de s'allonger à plat ventre sur la planche jusqu'au sixième mois. Au grand dam du futur petit coutelier qu'elles préparaient.

Une photo montre un groupe de ces bitords, l'année 1911 : personnel d'une petite usine réuni en face de l'objectif. Tous chaussés de sabots, excepté la demoiselle du milieu et les maîtres sur leurs chaises, en fines galoches vernies. La maîtresse, un peu frileuse, sous la coiffe à tuyaux, dite « bonnet bergère ». A sa gauche, le patron, bien gras, un sourire d'aise sous la moustache ; le ventre protégé d'un tablier bleu, il en a dissimulé les pans sous ses cuisses. La fille, effacée. Le gendre, désinvolte, content de sa situation, la moustache retroussée, le gilet traversé d'une chaîne d'argent. Derrière eux, six ouvriers (ceux qui ne portent point cravate) et six employés du magasin. On remarquera tout spécialement, à gauche, l'ancien zouave d'Afrique coiffé de sa chéchia ; et à l'extrême droite, le vieux « ventre jaune » à la face ravagée, le tablier en loques : soixante-quinze ans, et toujours sur la meule. Au tout premier plan, aux pieds de son maître, un chien d'émouleur retraité, avec au corps le regret inextinguible du rouet plein de vacarmes, de farces, d'éclats de rire, alors qu'il exerçait bravement son métier de compagnon-chaufferette.

Car tordu, bi-tordu par la besogne, le coutelier

thiernois aimait aussi à se tordre de rire. Chez les enfants, chez les adultes, chez les vieillards, c'était par ici tous les jours 1er avril. On se jouait l'un à l'autre des niches, toutes fort distinguées et de bon goût. La nuit, certains farceurs parcouraient les environs avec la complicité de la lune : s'ils rencontraient quelque araire, quelque herse abandonnée au milieu des sillons, ils la hissaient avec des cordes au sommet d'un arbre où le paysan, le *pelaud*, n'avait plus qu'à la reprendre comme il pouvait. Une autre, des plus hilarantes, consistait à remplir de braises les sabots de travail d'un copain en retard, juste avant son arrivée. Imaginez sa surprise et sa jubilation lorsqu'il y enfonçait ses pieds nus, mais grâce au ciel presque aussi calleux, durs et cuirassés que des pieds de vache. Jeux de mains, jeux de vilains. Collectivement surnommés, les Thiernois se gratifiaient individuellement de sobriquets à mourir de rire, qui se transmettaient de génération en génération aussi fidèlement que les patronymes officiels : Cul-Cassé, le grand Zac, le petit Zac, Mange-Fourme, Mange-Salé, Galoche, Bretelle, Aidez-moi, Épouille-Singe, Épouille-Serpent, Barbe-en-Zinc, Nez-de-Chien et beaucoup d'autres que je ne saurais honnêtement reproduire. Même la toponymie locale témoigne de cet esprit facétieux ; des villages autour de Thiers s'appellent pour l'éternité : chez Podime (Peu-d'Esprit), Puri (Pourri), Purisse (Je suis en train de pourrir), Pissebœuf, la Croix du Branle, la Grole (le Corbeau), Pèleloup, Chopine, Chabetout (Je finis tous), Gourlier (Pays d'ivrognes)...

Je ne redécrirai pas le travail de la coutellerie, l'ayant déjà fait plusieurs fois, notamment dans la trilogie romanesque consacrée aux Pitelet, *Les Ventres Jaunes, La Bonne Rosée, les Permissions de Mai.* Je veux seulement souligner qu'il y a une philosophie du couteau, comme il y en a une du pain, du vin, du sel. Le couteau (je parle du fermant, muni de plusieurs lames, d'un tire-bouchon, d'un poinçon, peut-être d'un tournevis-décapsuleur) n'est pas un outil comme les autres, le marteau, la scie ou les tenailles. Parce que les tenailles, la scie, le marteau ne sont pas compagnons de chaque instant ; nul ne les garde dans sa poche pour s'en servir aux moments de nécessité, nul n'aime les savoir là disponibles, nul ne se plaît à les caresser de l'index.

Les dames du temps jadis attachaient un couteau à leur ceinture, près d'autres instruments précieux, ciseaux, clés de porte ou de coffret ; ils tintinnabulaient ensemble ; à ce petit bruit, on reconnaissait l'approche de la maîtresse de maison, le couteau faisait partie de son arroi. De nos jours, il s'est vulgarisé, convient à toutes les bourses, tous les âges, toutes les professions. Un homme sans couteau est un homme incomplet. Et ce manque advient très rarement en Auvergne. Naturellement, il doit y avoir accord et proportion entre l'objet et son propriétaire. Le paysan aime un laguiole : sa lame longue et cambrée peut trancher des manches dans des taillis et des bâtons de foire, rogner le sabot de ses vaches, fendre des feuillards pour ses paniers et ses fûts, appointer des lattes de char, devenir une terrible arme de poing si nécessaire. L'artisan préfère un couteau aux pièces multiples, outil à tout faire, couper, percer, tourner, scier, déboucher. L'intellectuel choisit le couteau léger à une ou deux lames pour ouvrir proprement les enveloppes, couper les pages des livres. Le chasseur un couteau-dague au manche fait d'un pied de cerf. On offre aux dames et demoiselles un canif avec lime à ongles ou ciseaux à ressort. Les temps modernes ont vu naître le couteau automatique dont la lame jaillit quand on presse un bouton : il convient aux mauvais sujets et aux complexés qui se donnent en le portant un sentiment de virilité ; ils le brandissent, se regardent dans la glace et se font peur à eux-mêmes. Ne parlons pas de ces couteaux-breloques que les fortunés accrochaient jadis à leur chaîne de montre en or pour en mieux faire remarquer l'épaisseur. Dis-moi le couteau que tu portes, et je te dirai qui tu es.

Les fabricants thiernois ont toujours fait preuve dans leur spécialité d'une merveilleuse imagination. Sur le thème du couteau, ils ont composé des variantes infinies, l'agrandissant, le rapetissant, le combinant avec les ingrédients les plus inattendus. C'est ainsi qu'au musée de la Coutellerie, on trouve des couteaux-marteaux, des couteaux-clé à molette, des couteaux-chausse-pied, des couteaux-serpettes, des couteaux-plantoir et même un couteau-flageolet, sur lequel on peut jouer *Au clair de la lune* et *J'ai du bon tabac*. Dans les magasins de la ville, on vend communément des couteaux à cent pièces, épais comme une bible, et des noix contenant cent couteaux minuscules capables de s'ouvrir et de se fermer.

Ils exportent volontiers leurs produits vers l'étranger et n'hésitent pas à faire profiter les autres nations de leur savoir-faire. C'est donc de leurs ateliers que sortent les couteaux de table revendus par les grands magasins de la capitale, portant marque parisienne ; la navaja espagnole aux garnitures de cuivre ; le poignard corse avec la devise damasquinée. *La mia ferita sia murtale* (Que ma blessure soit mortelle) ; l'authentique couteau suisse, orné d'une croix blanche sur écu de gueules ; le faux couteau suisse, fabriqué par le même artisan, dans lequel la croix helvétique est remplacée par un as de trèfle ; le rasoir turc à manche de peuplier ; le machete mexicain avec cet avertissement : *Como amigo soy tu amigo Como traidor soy tu padre.* (Si tu me veux ami, je le serai. Si tu me veux traître, je te donnerai des leçons.) C'est Thiers qui fabrique le vrai couteau breton, le vrai couteau rouergat, le vrai couteau belge avec épluche-patate. Un de mes amis s'est spécialisé dans le couteau écossais à l'usage des évêques, chanoines et pasteurs de cette région nordique : il s'agit d'un tire-bouchon à whisky déguisé en couteau ; par raison d'économie, il ne comporte aucune autre pièce.

Autrefois, les garçons sortaient de l'enfance quand ils enfilaient leur première paire de pantalons et cessaient de montrer leurs genoux. Mais ils devenaient réellement des hommes en Auvergne le jour où ils recevaient leur premier couteau. J'eus un oncle infiniment précieux — dont je reparlerai — pour les souvenirs qu'il me racontait ; les chasses, les pêches, les aventures qu'il me faisait partager. Vers ma quatorzième année, un jour d'été, nous nous étions, lui et moi, endormis sur l'herbe, à l'ombre d'un poirier. Quand j'ouvre les yeux, je vois une chose qui me glace le sang : sur la poitrine de mon oncle Annet, une vipère s'est enroulée en boudin ; il la soulève en respirant ; sans doute, elle aussi fait-elle la sieste. Une vraie vipère couleur de feuille morte. Si je réveille le dormeur, il va bouger et son premier soin à elle, dans sa surprise, sera de le mordre. Autour de moi, je cherche des yeux une arme, j'aperçois des piquets contre une murette. Je me lève en silence, je vais en prendre deux. Avec la pointe d'un piquet, je parviens à saisir en son centre la bête diabolique, à la jeter au loin, je cours à elle, je l'écrabouille. A ce remuement, le tonton sort de son sommeil, je l'ai eue, dis-je. J'explique ce qui s'est passé, j'en ris et j'en grelotte encore.

« *Eh bë !* » fait-il en son patois.

Il me regarde sans rien ajouter.

En des temps très anciens, quand ils avaient tué un serpent venimeux, les bergers de nos montagnes l'écorchaient et fixaient sa peau séchée au ruban de leur chapeau de feutre : elle les préservait de la foudre. Nous ne sommes pas allés jusque-là.

Ce même soir, ayant mûrement réfléchi, mon oncle mit la main dans sa poche : « Tiens, me dit-il. Je te donne mon couteau. » C'était un Pradel assez lourd, aux côtes de corne noire, avec une lame unique terminée en ogive, aussi brillante que neuve, le fil un peu rongé par les aiguisages successifs. Cet homme me faisait cadeau de ce qu'il portait sur lui de plus personnel. Offrir un couteau acheté dans une boutique est une chose ; offrir ton propre couteau, qui t'a longtemps servi, qui a chaque jour, des années durant, coupé ton pain sur la table ou le lard sur ton pain, en est une autre. Tu l'as soigné comme la prunelle de tes yeux ; tu l'as gardé de la terre et de la rouille ; tu ne le prêtais qu'exceptionnellement ; et voilà que tu t'en sépares. Je fus ébloui de ce présent.

Depuis que j'ai cessé de vivre à Thiers (mais je ne cesse point d'y revenir), l'univers s'est curieusement rapetissé : dans le jeu européen, la France n'est plus qu'un domino — et pas le double six ; le Portugal et l'Afrique nous ont envahis ; le Japon est à nos portes ; on part en week-end dans la lune. A la veille des révoltes ambiguës de 1968, ma ville poursuivait encore son train-train moyenâgeux. Les docteurs en économie pronostiquaient sa fin : tout au plus durerait-elle tant qu'il subsisterait un émouleur couché, une polisseuse assise, un estampeur debout, et dans la campagne un monteur-éleveur de poules. On approchait cependant de l'échéance : l'âge moyen des couteliers atteignait cinquante-huit ans, selon les statistiques. Enfin Cohn-Bendit vint ! La révolte socio-culturelle bouleversa la coutellerie thiernoise. Du jour au lendemain, les patrons se convainquirent qu'ils devaient se transformer ou disparaître. Calculant qu'ils pouvaient remplacer vingt émouleurs par une seule machine à émoudre ; vingt polisseuses ou lustreuses par une seule machine à polir ou à lustrer ; les acheveuses par un bain aux ultrasons dans lequel les pièces sont débarrassées de la moindre poussière sans intervention manuelle ; ils abandonnèrent leurs usines pluricentenaires, intransformables, pour en construire d'autres dans la banlieue, au Breuil, aux Molles, à Felet. Ainsi sont nés des bâtiments neufs, vastes et clairs, entourés de parkings, desservis par des routes confortables et par l'autoroute. Le personnel y est jeune et bien portant. Il n'y a plus à Thiers de bi-tordu.

Les couteliers nouveaux ne fabriquent plus longuement, amoureusement des couteaux compliqués, bons à tout faire, mais lancent des articles d'un seul usage : couteau à cake, à pain, à fromage, à steack, à saucisson, à jambon, à tartine, à pamplemousse, à citron, à surgelé. Le couteau à trancher le cake ne vaut pas un clou pour débiter la miche, et celui du saucisson donne sa langue aux chats devant l'andouille. Le couteau à huître est vendu avec un gant unique, sorte de mitaine sans gauche ni droite, qui protège la main teneuse. Les matières premières elles-mêmes ont changé : l'acier inox est capable désormais de prendre et de garder le coupant ; le manche en bois ordinaire, imprégné de résines, ne craint ni le feu ni la lessive du lave-vaisselle. Finie l'époque où le couteau de table demandait à être lavé, essuyé, séché avec des soins ecclésiastiques ! Nouvelle aussi leur présentation : attachés en panoplies sur des présentoirs tournants, un pompon au bout de la queue, le pompon fait vendre le couteau ; ou bien retenus sur des cartons comme des timbres-poste de collection, avec notice rédigée en quatre langues : le texte anglais explique que la cuisine d'outre-Manche gagne en saveur à être préparée avec des couteaux français !

La coutellerie a engendré des activités parentes et ne représente plus que le tiers des productions industrielles. Les deux autres tiers sont la platerie métallique, la mécanique générale, les matières plastiques. Il n'est guère en France de fabrication qui ne doive à ma ville quelque accessoire : boulons de voiture, manilles pour la navigation de plaisance, scies à chaîne pour tronçonneuses, rouages d'horlogerie, robinets pétroliers, emballages, cadres de téléviseurs, bouchons et capsules, sandales et bottes, classeurs et attaché-cases. Il y en a pour la tête, il y en a pour la bouche, il y en a pour les pieds.

La cité elle-même a fait peau neuve. Depuis l'émigration des usines vers la périphérie, la vallée de la Durolle, autrefois si active, si tapageuse, si étincelante, est bordée de bâtiments vides, temples déserts, fenêtres aux vitres crevées. On se croirait en Égypte dans la vallée des Tombeaux. Seule la rivière continue son grondement et ses bouillons inutiles. Des files de touristes, impressionnés et silencieux, se découvrent et prennent des photos. La rue Durolle tout entière menace de s'écrouler comme un château de cartes.

On peut dire la même chose des rues adjacentes, la rue Gambetta, la rue Sidi-Brahim, la rue du Dr Lachamp, la rue de la Faye, la rue des Forgerons, la rue du 4-Septembre dont seuls les étages sont habités par une population maghrébine ou portugaise. Autrefois, chaque maison hébergeait ici un coutelier : monteur, trempeur, émouleur, polisseur, façonneur de manches. Même le sacristain de Saint-Genès montait des couteaux entre les messes, au pied du clocher. Ce n'était partout que cliquetis d'enclumes, ronflements de forges, claquements de courroies. Ça sentait l'huile cuite, la corne brûlée, la résine et la poix des ciments fondus. A présent, il n'est pas une « boutique » qui fonctionne encore. Le Thiers de l'ancien artisanat est devenu une casbah, sans le soleil, les chants, les odeurs de fritures d'Alger, de Tunis ou de Marrakech. Une lugubre casbah où seuls quelques enfants frisés aux yeux noirs maintiennent une apparence de vie. Une épidémie de peste semble avoir frappé les plus anciens quartiers où j'ai traîné tant de fois mes grègues ; les prolétaires de souche locale ont fui vers les H.L.M. ; les bourgeois vers la périphérie, les lotissements des collines et de la plaine, les rives de la Dore. J'ai proposé de rebaptiser la rue de la Coutellerie « rue des Volets-Clos ». Mais voici qu'elle s'éveille un peu et sort de son silence. On y a restauré deux maisons, devenues musée-atelier-école de formation-magasin de vente. Les touristes y viennent voir de nouveaux émouleurs se coucher sur la planche, des trempeurs tremper, des polisseurs polir. Ces personnages sont très supérieurs à ceux du musée Grévin, car ils bougent et parlent. Un vaillant libraire a osé s'installer dans ce silence qui convient aux livres anciens et rares, un peu mangés aux mites. Un énorme travail de réhabilitation a été entrepris. Dans cent ans, Thiers sera peut-être redevenu digne de son passé.

Les ancêtres.

Et tout d'abord le nom. *Anglade* a une sonorité occitane, comme la *pastonade* de Provence et la *cargolade* de Catalogne. Il figure au dictionnaire Larousse en six volumes à la page 229 du premier : *Anglade, comm. de la Gironde, arrond. et à 12 km de Blaye.* Un village, donc, qui s'appelle comme moi, où je n'ai jamais porté mes pieds. J'aimerais bien qu'un jour nous nous rencontrions. En attendant, je l'imagine à ma ressemblance : amoureux du soleil, quelque peu farfelu, le clocher légèrement de traviole, sans ennuis de circulation. Le champion lyonnais Henri Anglade a fait beaucoup pour la gloire de ce nom-là. On m'a souvent demandé : « Êtes-vous un parent du coureur ? » Et moi je me demande si une fois, une seule quelqu'un lui aura dit : « Êtes-vous un parent de l'écrivain ? »

L'orthographe de ce patronyme, me semble-t-il, est limpide. Pas de consonne double, pas de lettre parasite, de *H* muet ni aspiré. Un élève du cours préparatoire devrait l'écrire sans erreur. Bien des fois, néanmoins, quand je le dicte à quelque huissier, commerçant, secrétaire, je constate qu'il trace d'abord un

E. Comme pour écrire *engueulade.* Alors il m'arrive de prendre les devants et de préciser, par respect pour ceux qui me l'ont légué : « Avec un *A*, s'il vous plaît. »

D'où le tenaient-ils ? D'un *coin de terre anglée.* Cela prouve que mes aïeux laboureurs furent si pauvres qu'ils ne possédaient qu'un lopin mal délimité, avec deux côtés seulement, pas assez riche pour prétendre à un troisième qui en eût fait un *triangle.* Des coins comme ça, il dut y en avoir un peu partout. Inutile donc d'aller chercher notre berceau à 12 km de Blaye ; ni au Monastier-sur-Gazeille (Haute-Loire) où existe une « rue de Langlade » ; ni à Langlade dans le Gard ; ni dans une foule d'Anglars et d'Anglards que proposent le Cantal, le Lot et l'Aveyron. En Auvergne, en Velay, en Gévaudan, nombreux sont les Anglade, les Anglard, les Amblard. Et aussi les Anglaret qui sont des Anglade de petite dimension. Salut donc à vous tous, mes homonymes et paronymes ! Salut aux Anglada du Bordelais, aux Anglado d'Espagne, aux Angladi piémontais, aux Delangle et aux Delzangle avec qui j'ai en commun ce coin de terre onomastique.

Quant au prénom de *Jean*, il semble non moins traditionnellement implanté dans ma famille paternelle, puisqu'il fut celui de mon père, de mon grand-père, de mon arrière-grand-père. Aurai-je jamais le loisir de remonter l'échelle généalogique des miens jusqu'aux *Joanis* sans terre qui durent partir pour la première croisade et mourir sur de lointaines rives, ne laissant derrière eux aucun grimoire pour attester leur existence ? Des recherches plus graves me sollicitent. Je suis d'ailleurs persuadé que je ne rencontrerais dans cette ascension que de pauvres bougres, métayers, manants, villains, costeliers ou fabres par accident. Tous illettrés jusqu'aux oreilles, le crâne un peu fendu, ivrognes à l'occasion. La branche maternelle, celle des Chaleron-Lavest, faite du même bois, n'amenderait point l'espèce. En sorte que je devrais, en bonne logique, finir mes jours dans la décrépitude mentale comme plusieurs de mes ascendants. Tel celui qui rassemblait sa famille chaque matin pour demander :

« Voyons ! Aujourd'hui, est-ce que je prends mes bretelles ou ma ceinture ? »

Il barricadait sa porte dès quatre heures de l'après-midi afin que la Mort — qui a, comme chacun sait, des habitudes nocturnes et rend visite à sa clientèle généralement entre le crépuscule et l'aube — se cassât le nez sur le battant de chêne.

Punition ou grâce du ciel ? Mourir par l'esprit avant que de mourir par le corps, tandis que déjà le monde a pris une immatérialité de rêve et les vivants des visages de brume, n'est-ce pas, excepté pour l'entourage, la fin la plus heureuse qui soit ?

Mais revenons à *Jean*. Dans mon enfance, je détestais ce prénom qui fournissait une rime à une chanson stupide qu'on me cornait aux oreilles :

Jean ! — Mène la Marguerite !
Jean ! — Mène-la doucement !
Si-tu la mènes trop vite

Elle-attrap'ra la colique.
Jean ! — Mène la Marguerite !
Jean ! — Mène-la doucement !

Pourtant, de ma courte vie, je n'avais alors connu d'autres marguerites que celles qu'on effeuille en marmottant : *Me lamo, me lamo gi, me lamo, me lamo gi...* Elle m'aime, elle ne m'aime pas, elle m'aime, elle ne m'aime pas...

Je me sentais frustré par cette unique syllabe, tandis que mes copains jouissaient de prénoms aussi somptueux que Camille, Sylvain, Étienne, Maurice, Antonin et même Wladislas, dont le charme slave il est vrai se trouvait compromis par le sobriquet que nous en avions dérivé : Vasistas. Comme une des fonctions essentielles de cet âge — et surtout à Thiers ! — est de se moquer, nous nous moquions de Vasistas et de sa Pologne aux dimensions ridicules, disant, les mains ouvertes comme pour encercler une coucourle :

« La Pologne ? Elle est grande comme ça ! »

Où diable étions-nous allés chercher cette information ? Et lui d'entrer en fureur, et de piétiner la terre autour de lui, la bave aux dents, de la consteller de crachats :

« Et la France ?... Regardez ce que j'y fais, moi, à la France ! Regardez ! »

Nous regardions le sol, peau et chair de notre France, éberlués qu'elle ne s'ouvrît pas à tant d'outrages, n'entrât point en éruption comme l'instituteur nous avait promis que feraient un jour le puy de Dôme et ses voisins.

Naturellement, moi aussi j'eus droit au sobriquet. Vers cette époque, une autre chanson, patoise et crétine, courait les rues :

Jean- Jean petaret,
To cobano, to cobano,
Jean, Jean, petaret,
To cobano s'ifondrè !

A Thiers un *pétaret* désigne deux choses. D'abord, une plante des bords de route dont le nom officiel est *silène enflé* ou *carnillet* ; elle produit des fleurs blanches qui, à leur maturité, forment des capsules ; les enfants les saisissent par la cime et les font exploser sur leur front ou le dos de leurs mains. Mais le *pétaret* est aussi un pauvre homme affecté de fermentations intestinales qui doit expulser les gaz aussi souvent que nécessaire. Pourquoi en accuser les Jean plus que les autres, si ce n'est à cause de ce prénom maudit, court et ridicule, dont on se moque en France depuis les origines ? Ainsi sont nés Jean Farine, personnage de la comédie de foire au visage blanchi ; Jean ou Jeannot Lapin, le plus écervelé de tous les connils, popularisé par La Fontaine, orfèvre en étourderie puisqu'il s'appelait Jean lui-même ; Jean Fait-Tout et Jean Sait-Tout, deux idiots prétentieux ; Gros-Jean, lourdaud et toujours confondu, frère de Jean Lorgne et de Jean Ridoux ; Jean le Blanc, nom de dérision de l'hostie sainte inventé par les huguenots. Si Jean Raisin n'est qu'un vigneron, Jean des Vignes est un malavisé, en souvenir du roi Jean qui se battit dans les vignes près de Poitiers. Ne parlons pas de Jean-Foutre et de Jean-Fesse, ni des Jean-Jean, la pire espèce de tous. Était-il nécessaire d'ajouter à cette malheureuse série un Jean Pétaret, si enragé pétomane qu'il en effondra sa propre cahute ?

Vaguement conscient de cette puante hérédité, chaque fois que j'entendais dans mon dos la chansonnette, j'entrais dans la même fureur que Vasistas au raccourci de sa Pologne. Car je ne me savais pas plus *pétaret* qu'un autre et l'injustice de ce surnom me suffoquait. Le pire, c'est que ma mère, ma propre mère, qui avait pourtant coutume d'employer à mon usage de tendres petits noms, m'appelait aussi parfois Jean Pétaret, très thiernoisement, quand elle se sentait d'humeur à plaisanter. Mais d'elle je l'acceptais, sachant qu'elle n'y mettait point malice. Telle est sans doute la plus précieuse leçon que j'aie reçue de ma mère : « Essaye de rire de ce qui te fait souffrir. Ce n'est pas toujours facile. Mais si tu parviens à rire de ton mal, il s'en trouve diminué. »

Pour en finir avec ces histoires d'appellations, je dirai que chaque famille rurale, en Auvergne comme ailleurs, portait alors un sobriquet collectif qui s'ajoutait au patronyme. Forgé on ne sait comment, sans claire signification, parfois souvenir d'un trait caractéristique oublié ou vivace. Ainsi existaient les Cheveux-Rouges, les Têtes-Noires, les Bègues, les Bossus, les Gnafres, les Picous, les Diables, les Feuilles, les Pelharos, les Lézards, les Marquis, les Châtre-Limaces, les Chèvretons et tant d'autres. Mes ancêtres maternels, les Chaleron-Lavest, se glorifiaient d'être surnommés « les Évêques ». En vertu d'une piété exceptionnelle ? Allez savoir ! Toujours est-il que ce sobriquet me surprit, puis me convint. Le jour où je reçus à Saint-Genès de Thiers le sacrement de Confirmation « qui nous donne le Saint-Esprit avec tous ses dons et nous rend parfaits chrétiens », je me trouvais être le plus âgé et le plus grand de la colonne pour avoir (comme je dirai plus loin) fait pendant un an le catéchisme buissonnier. L'évêque de Clermont était venu nous confirmer selon les rites, nous asséner entre autres le fameux soufflet qui signifie : « Tiens-toi prêt à tout souffrir pour Jésus ». Or, au cours de la cérémonie, Monseigneur éprouva le besoin de renouer le lien de sa chasuble. Afin d'avoir les mains libres, il me tendit sa crosse, à moi qui dominais le lot, disant d'un ton sans réplique :

« Tiens-moi ça un moment, toi. »

J'obéis, je tins verticale, majestueuse, la sacrée canne, incrustée de pierres précieuses, symboles de rayonnement, et m'en sentis presque ébloui. S'étant reficelé, Monseigneur la récupéra, m'en laissant la chaleur dorée entre les mains. Dans cet événement, je voulus voir aussi une *confirmation* du sobriquet familial : je serais prêtre, je deviendrais évêque à mon tour. Mais, sans en révéler rien à personne, je gardai dans le tiroir le plus secret de mon cœur cette audacieuse espérance.

De mes grand-père et grand-mère paternels, je ne sais presque rien, sauf qu'ayant eu cinq enfants, ils se lassèrent de leur condition de métayers, réussirent à acquérir un lopin de terre près du village de Lamirand, au couchant de Thiers, en tirant sur le Dorson, affluent de la Dore, dont les eaux font tourner la roue du moulin de Chantereine. Ainsi revenaient-ils peut-être aux sources de leur nom, car à Lamirand vécut l'une de ces communautés agricoles dont j'ai raconté dans *Les Bons Dieux* l'existence quotidienne plus que l'histoire : les Anglade, alliés aux illustres Quittard-Pinon qu'honorèrent de leur amitié plusieurs intendants d'Auvergne. Il y a quelques jours, je me promenais dans le cimetière des Limandons où repose ma mère, près d'un if noir en forme de main ouverte. J'eus la surprise de me trouver devant un tombeau de grand luxe où je crus voir rassemblés les restes de tous les miens : Jean Anglade, Annet Anglade, Pierre Anglade, Claude Anglade, Marie Anglade, en compagnie de parents inconnus : Genès, Genèse, Jacques, Émilie. En vérité, il s'agissait du mausolée communautaire des anciens *parsonniers* de Lamirand, de glorieuse mémoire. Aux côtés de maître Quittard, leur *mouitre* défilait immédiatement derrière les consuls de la ville, lors des fêtes solennelles. Un jour, je saurai la date de leur dispersion. Une branche dut s'en séparer pour produire, de dégénérescence en dégénérescence, le Jean Anglade, forgeron à Montpeyroux, son fils Jean, métayer aux Ribbes, dont je suis issu.

Avant de quitter cette dernière métairie, mon Grand eut donc le courage de construire à temps perdu sa maison de pisé sur le lopin en question. Il lui suffit pour cela d'une échelle, de quelques planches et de plusieurs sacs de chaux qu'il fit encore le sacrifice d'acheter, car il la voulait dure et durable. Ayant obtenu l'autorisation de puiser dans un proche filon de glaise, il alla y remplir sa hotte vigneronne, de zinc et d'osier. Ainsi, toute la baraque passa sur son dos avant de passer par ses mains. Au-dessus d'un soubassement de pierre profondément enterré, il disposa ses planches parallèles, les « banches », maintenues par des traverses, les « parefeuilles » ; et dans ce moule, il commença de tasser son gâteau d'argile. Après chaque hottée, aidé de sa femme et de ses enfants, il pila vigoureusement cette pâte au moyen d'une dame de bois, l'aspergeant d'eau pour l'obliger à rester collante et malléable. Avant de démouler et de passer à la « banchée » suivante, il la recouvrait d'un mince chaînage au mortier de chaux ; ce qu'on appelle un *jou*, c'est-à-dire un « joint ». De même, les angles étaient renforcés par des carrés de mortier parallèles, épais de deux doigts. Après des mois de ce labeur, la maison se dressa, belle et neuve, dorée comme la croûte du pain, encore toute percée par les trous des parefeuilles. « Je les remplirai un jour, se promit mon Grand, lorsque je pourrai habiller notre maison d'une belle chemise de crépi. » Il n'eut jamais le loisir de le faire. Si bien que les araignées, les lézards, les hirondelles prirent possession de ces nids, sur lesquels s'étendirent plus tard les pampres d'une vigne de façade, bleuis par le sulfate. On cloua sur la porte, en guise d'assurance, un Sacré-Cœur de fer verni : *Je protège les maisons où l'image de mon Cœur est exposée.*

Ensuite, vint la construction de l'étable, et de la grange, et de la soue du cochon. Un beau jour, toute la famille déménagea le pauvre cheptel qui lui appartenait en propre, les deux vachettes, maigres comme des peignes, attelées au tombereau rempli de mobilier ; les trois poules dans une cage ; les quatre lapins dans un sac, tremblants de frayeur, sur l'échine du métayer ; le goret fermant la marche, poussé par la baguette des enfants. Des Ribbes à Lamirand, à pied, il n'y a qu'une demi-heure de promenade. Devant la porte, une serve fournissait aux hommes et aux bêtes une eau pleine de cresson et de têtards.

Dans sa maison couleur de caramel, le grand-père avec les siens vécut des années dures mais heureuses, louant ses bras aux jardiniers voisins. Ses fils grandirent, s'en furent monter la garde aux frontières de la Patrie. Claude, l'aîné, à Saint-Dié-des-Vosges, au 10e Chasseurs à pied, comme le montre sa photo : son képi rouge entre les mains, à califourchon sur une chaise, élargi par ses épaulettes, orné du cor de chasse qu'il fallait gagner par son adresse au tir. Jean, le second, au 14e bataillon de Grenoble. Son portrait, exécuté par Léon, 2 *bis* avenue de la Gare *(épreuve obtenue la nuit)* le représente un pied fièrement posé sur des rochers, la main droite sur la canne, comme il convient à des montagnards, les manches illuminées par son double galon jaune de caporal. Les deux jumeaux, Pierre et Annet, furent pareillement enrôlés au 14e grenoblois. Tous quatre les yeux clairs, la moustache blonde et bravache, le mollet saillant, un peu haut, en ventre de lapin, bien serré dans les bandes molletières. Je n'ai aucun portrait du cinquième descendant, ma tante Marie, dont je ne puis retrouver le visage que dans mon cœur ; elle ressemblait à ses frères par le menton carré, les lèvres charnues, les yeux droits, les mains larges et généreuses.

Quand ils revinrent de la caserne, chacun des hommes s'établit de son côté. Claude, qui avait appris à Saint-Dié un peu de mécanique et l'art de conduire les automobiles à pétrole, changea de casquette et fut, en livrée noire, chauffeur chez un notaire de Riom. Jean aurait pu être charron : il construisit de ses mains un char entier, avec les roues, les claies, le mât rabattable ; mais recommandé par Claude, il s'engagea comme simple ouvrier agricole sur la propriété que le même notaire possédait au château de Bonneval, au sud de Clermont. Le riche Riomois aimait à se promener sur son domaine, surveillant sa terre et son troupeau. S'il voyait un piocheur se redresser pour reprendre haleine, se reposer une minute sur le manche de sa houe, il l'interpellait :

« Et alors ! Tu écoutes si la messe sonne à

Aubière ?... Crois-tu que je te paye pour ça ?... Remets-toi au travail, ou bien je te retiendrai sur tes gages le temps perdu ! »

Les années passèrent. Pour en finir avec l'ancêtre bâtisseur, je dirai seulement que sa cervelle ne supporta pas les grands chagrins de 14 ; son fils aîné tomba des premiers, à la bataille de la Marne ; alors le ciel enveloppa son esprit de brumes charitables qui le rendirent insensible à toutes douleurs y compris celles de sa propre fin. De sa femme, née Anne Dessapt, je sais encore moins de choses. Sauf que, minée par la mort de son mari et de deux de ses fils, elle se laissa enlever, l'hiver de 16 à 17, par une grippe qui n'était pas même espagnole. On m'a rapporté cet affreux détail sur sa fin. Tandis qu'elle agonisait sous son édredon, cherchant son souffle, je m'étais juché sur elle, par habitude sans doute ; ainsi font aujourd'hui mes propres petits-enfants qui prennent volontiers mon ventre pour un trampoline.

« Ouf-ouf !... protestait la malheureuse. Laisse-moi, mon pauvre enfant ! Laisse-moi !... Ouf-ouf !... »

Et moi de l'imiter, par une impitoyable et inconsciente moquerie : « Ouf-ouf !... Ouf-ouf !... »

Il fallut m'arracher à cet horrible jeu.

Mon grand-père paternel mort avant ma naissance, sa femme le suivit donc de près, par les efforts conjugués de la grippe et de mes chevauchées. A l'opposé de ces météores, mes aïeuls maternels m'ont laissé des souvenirs très vifs. Lui d'abord, le Grand, de patronyme Chaleron, de prénom Jacques. Profession : coutelier. Plus exactement : monteur de couteaux. En ce temps-là fonctionnait un système d'échanges entre les fabricants de la ville et les ouvriers de la campagne par l'entremise de transporteurs bien dressés à cet exercice. Des sacs de toile à l'adresse des monteurs, remplis de pièces détachées, lames, tire-bouchons, ressorts, côtes, platines, viroles, rosettes, étaient déposées par les commissionnaires dans des niches convenues, au bord des routes, aux carrefours, près de telle croix, au pied de tel arbre. Chaque destinataire venait prendre le sien et laissait à la place, adressé au fabricant, un sac de couteaux montés, ramassé et livré le lendemain par le même commissionnaire. Personne ne songeait à voler ces couteaux ou ces éléments abandonnés le long des chemins, parce que voler des couteaux autour de Thiers c'est comme voler de la saumure à l'océan. Une fois par mois, le monteur chaussait ses plus fines galoches, ses brodequins cloutés ou ses pantoufles charentaises, marchait douze kilomètres et partait toucher les revenus de son travail. Cela s'appelait « aller tourner les lames ». Le patron épluchait sourcilleusement les articles montés, en éliminait au moins un ou deux à la douzaine pour défaut vrai ou prétendu, payait le reste. Le monteur repartait joyeux, refaisait les mêmes douze kilomètres qu'à l'aller. Une étape longue et fatigante qui l'obligeait à se restaurer dans les auberges aussi astucieusement échelonnées que les niches à couteaux le long du parcours. Il y trouvait d'autres monteurs dans le même besoin. En sorte qu'en ce seul trajet de retour, la plupart mangeaient et buvaient une grosse part de leurs gains mensuels. Quand ils atteignaient Escoutoux, avant de se diriger vers des hameaux que ne séparait jamais plus d'une portée de fusil — mais cette dispersion leur était un déchirement — ils entraient se consoler dans chacune des quatre maisons qui, le front barré d'une branche de genévrier, offraient aux assoiffés leurs secours. La famille n'était pas oubliée pour autant : mon grand-père achetait une miche de boulanger que ses enfants mangeraient à petits morceaux comme la brioche. Mais il se trouvait encore à une lieue de son domicile, du village des Bonnets. Il marchait cette distance en chantant pour donner du courage à ses jambes, entremêlant le français et l'auvergnat :

> Saute, amie ! Tu n'sautes guère !
> *Soùto, mio ! Soùto don !*
> C'est-y que le *tchou* te pèse ?
> L'on dirait qu'y as du plomb !

Il traversait le village du Grand Cognet, dont les habitants se poussaient du coude :

« Regarde le vieil Évêque ! Comme il taille les guenilles ! »

Un moment, il s'arrêtait sous un cerisier, se rafraîchissait de son ombre et d'un bouquet de cerises, puis repartait en crachant les noyaux. Ma grand-mère, devant sa porte, récitait son chapelet et demandait à la Vierge en patois :

« Bonne Vierge ! Faites que cette gourle (cet ivrogne) se fasse renverser par une voiture. (Celle de Gardette, par exemple, le commissionnaire de Vollore.) Qu'elle ne l'écrase pas tout à fait, mais lui casse une patte. Qu'il en ait pour six mois à se raccommoder. Qu'il en reste boiteux et ne puisse plus se rendre à Thiers tourner ses lames. Pas un bras, Bonne Vierge, siouplaît, il a besoin de ses deux bras pour monter ses couteaux. Mais une jambe. » La Vierge, qui entend tous les parlers, comprenait bien cette intention particulière. Les voitures toutefois étaient rares entre Vollore et Escoutoux, et quand il s'en présentait une, il était bien risqué de la lancer sur le vieil Évêque. Aussi prit-elle d'autres dispositions.

Un soir qu'il était allé à Thiers toucher son dû, mon Grand ne rentra point. Sa femme se dit, la Bonne Vierge m'a exaucée. La nuit noire venue, on se mit à la recherche du coutelier avec des lanternes. On le trouva à peu de distance des Bonnets, sur le sentier qui rejoignait la route, le front fendu, baignant au milieu d'une flaque de sang et de vin mélangés. On le rapporta couché sur une échelle. Une fois débarbouillé, la tête enveloppé d'un pansement, il eut l'air de revenir de Sébastopol. Le lendemain, ayant recouvré ses esprits, il voulut remonter jusqu'à l'endroit où on l'avait ramassé. Il y regarda de près et tendit son index pouacre vers une grosse pierre ronde qui émergeait du sol :

« Voilà, dit-il, je me rappelle. J'ai trébuché, à cause

de la fatigue, et cette pierre m'a donné une *petassée*. Tout est la faute de cette garce de pierre ! »

On y distinguait encore un filet rouge.

« Pas vrai ! dit ma Grande. C'est la Bonne Vierge qui t'a puni ! La pierre t'a donné une leçon ! »

Depuis ce jour, chaque fois qu'il passait près du caillou, il rigolait d'un air complice et lui envoyait, affectueusement, son sabot dans la figure. Il garda au front une cicatrice, en souvenir de cet exploit, pâle en temps ordinaire, mais rouge en période d'ivresse ou d'excitation. Une sorte de baromètre. Lorsqu'il rentrait aux Bonnets d'un voyage à Escoutoux, la Grande m'envoyait à ses devants, regarde bien, me recommandait-elle, de quelle couleur est sa cicatrice et viens me le dire.

En dehors de ces circonstances, mon grand-père jouait du violon dans sa « boutique », c'est-à-dire dans l'atelier minuscule où il montait ses couteaux. Son « violon » était en fait composé seulement d'un archet à la longue corde pendante ; celle-ci pouvait s'enrouler autour d'une ancienne bobine à fil, que traversait de part en part un foret muni d'une pointe spéciale dite « langue d'aspic », capable de percer des trous dans les deux sens de sa rotation. Le talon du foret s'appuyait contre une plaque de fer maintenue sur le ventre du monteur par deux sangles, curieusement appelée la « conscience ». Car cette sorte de pectoral, dans l'esprit des couteliers, recouvrait très précisément le point où, comme souris dans son trou, loge, vit et s'agite leur conscience véritable, juste en arrière du nombril. C'est là qu'ils éprouvaient de vagues chatouillements lorsqu'ils dissimulaient quelque pièce de quarante sous pour boire chopine en cachette de leur femme ; ou aventuraient une main sur la croupe d'une fille d'auberge. Les uns portaient la conscience très basse, d'autres proche de l'estomac.

Le premier soin de mon Grand était donc, sitôt entré dans sa « boutique », d'attacher sa conscience avec la ceinture de corde. Il pouvait dès lors, poussant du ventre le talon du foret, mettre celui-ci en rotation par le mouvement horizontal de l'archet qui allait devant lui, tantôt de droite à gauche, tantôt de gauche à droite. La langue d'aspic faisait *frrr-frrr* et s'enfonçait dans les platines de laiton, les côtes de cornes, les ressorts d'acier, retenus par les mâchoires de l'étau. Il fallait ensuite river ensemble ces diverses pièces, les « claveter » sur l'enclume, fignoler les contours, blanchir les dos à la lime douce. Les côtes des couteaux bon marché utilisaient à cette époque une matière spéciale rouge dite « fibre américaine », qui n'était rien d'autre, affirmaient certains, que du carton bouilli fortement pressé, coloré au sang de bœuf. Au perçage, il s'en échappait une fine poussière qui donnait à mon Grand une figure et des mains de boucher. De l'aube au crépuscule, il restait de la sorte enfermé dans son gîte exigu, fredonnant ses chansons franco-patoises et jouant à tour de bras de son violon silencieux. Quand j'allais lui rendre visite, il ne répondait pas à mon salut si je disais : *Bon djou, Gran !* Il fallait que je dise : *Bon djou, Poueyrí*, car il était aussi mon parrain et tenait très fort à ce titre. Il me fabriquait des couteaux à ma dimension, aux côtes vertes, jaunes, bleues, ce qui lui demandait aussi longtemps que deux douzaines de couteaux adultes. La boutique sentait l'huile rance, la limaille de fer, la corne, le tabac à priser. Son parrainage dura peu. Vers l'âge de trois ou quatre ans, j'étais en train de cueillir des iris quand je m'entendis appeler par la Grande. Elle criait quelque chose d'inaudible se terminant par le son ... *or.* Je pensai qu'il s'agissait d'un commandement, d'aller sans doute garder les *porcs.* Mais en m'approchant je distinguai : « Ton grand-père est mort. » Ce qui ne mit pas beaucoup plus de lumière dans ma comprenette. On me conduisit jusqu'au lit où Jacques Chaleron-Évêque, malgré le soleil éclatant du dehors, semblait dormir profondément.

« Embrasse-le », dit la Grande, qui ne pleurait pas.

Je posai les lèvres sur son front chauve marqué de la fameuse cicatrice, sur ses joues incrustées de grains de limaille, près des moustaches blanches, jaunies sous le nez par le pétun. Il ne se réveilla point, comme je l'espérais. On me tira en arrière et je retournai à mes iris. Ainsi s'en alla mon grand-père violoneux dont on dit beaucoup de mal de son vivant, et dont je suis le seul homme des cinq continents à pouvoir dire un peu de bien, à cause de ses petits couteaux multicolores, et parce qu'il ressentait comme un bonheur de m'avoir donné son prénom. Car je m'appelle Jean, *Jacques,* Annet. Et Pétaret par-dessus le marché, que Dieu me pardonne.

En mourant, il laissa pour héritage deux chèvres, quatre guenilles, un peu de mobilier, ses limes, ses marteaux, son violon et ses couteaux interrompus qu'il fallut renvoyer tels quels au fabricant. Afin d'économiser le loyer d'une maison dont elle n'était que locataire, ma Grande se réfugia chez Benoît, son fils aîné. Pour toutes ressources, elle possédait le lait de ses biques et une pensionnette versée par l'État pour la consoler de son fils Maurice, mort de ses blessures en 1917 dans un hôpital allemand. Ainsi, il lui arrivait, à terme échu, un petit nombre de billets de dix francs ; elle en formait un rouleau, les glissait dans une boîte de fer cylindrique qu'elle portait sur elle en permanence, dans quelque poche secrète enfouie sous ses cotillons. Elle ne touchait jamais à cet argent — le prix de son fils — pour son propre usage, mais en faisait profiter autour d'elle ses autres enfants. Et le curé d'Escoutoux à qui elle commandait messe sur messe pour le repos de la pauvre âme, comme si celle-ci eût appartenu à quelque grand pécheur. Chaque fois qu'elle devait recourir à ce trésor, la chose occasionnait une longue remue d'étoffes sous les jupes. Elle atteignait, ouvrait enfin la boîte défouie. Celle-ci ayant, au cours d'une autre existence, contenu du cacao en poudre, les billets avaient une légère senteur chocolatée.

Un jour lui vint aussi la lettre d'une entreprise de pompes funèbres proposant de ramener au meilleur prix des champs de bataille les *cendres de nos glorieux soldats tombés pour la victoire*. Antoinette demanda au facteur de lui traduire en son langage le texte français ; elle demeura troublée par ce mot de *cendres*.

« Est-ce vraiment écrit comme ça, “les cendres” ?

— Oui, oui. Les cendres. *La flou.*

— Ça veut donc dire qu'ils ont brûlé les corps de nos pauvres enfants ?

— Allez savoir !

— Comme les Vollorois, donc ? »

Les gens de Vollore s'étaient mérité le sobriquet de Brûle-Morts le jour où, voulant transformer leur ancien cimetière en place publique, ils avaient purement et simplement fait un grand feu de joie, près de l'église, avec les restes des trépassés.

« Allez savoir ! répéta le facteur des postes.

— Et comment donc pourront-ils ressusciter au jour du Jugement ?

— Y a que le curé qui peut vous répondre. »

Elle l'interrogea. Il expliqua que *cendres* veut dire *poussière ;* que *poussière* veut dire *terre ;* que *terre* veut dire *argile*. Il rappela que Dieu créa le premier homme avec une poignée d'argile ; que par conséquent nous sommes, debout, poussière vivante, avant que de redevenir, couchés, poussière morte. Comme elle n'entendait pas grand-chose à ce brouillamini, il recourut au patois et à la simplicité :

« *La flou, co vo djire ce que vey de notri djin lo tcharo*. Les cendres, ça veut dire ce qui de nous va dans la terre. »

Elle accepta l'offre du transporteur et fit revenir les cendres de Maurice ; il lui en coûta le contenu entier de sa boîte à cacao.

J'eus donc, dans mon plus jeune âge, une grand-mère odoriférante. En certaines saisons, elle sentait la pomme à cause de toutes celles qui séchaient sur le plancher de sa pièce unique. Il lui arrivait de faire son souper d'une pomme. « Plus le soir on mange léger, disait-elle, plus le sommeil est lourd. » Des pommiers parsemaient les pentes, autour des Bonnets, dressant vers le ciel leurs bras compliqués que le gui emberlificotait davantage encore. La pomme est auvergnatissime. On peut la manger crue, la boire en cidre ou en tisane, la faire cuire au four avec une écaille de beurre dans le creux de la queue, la réduire en compote, en confiture, en gelée, en pâte, l'accompagner de boudin, l'introduire dans les beignets, dans les chaussons, dans ces tartes immenses qu'ici on appelle *pompes*. Elle est si commune chez nous que les vieux sculpteurs romans n'imaginèrent pas qu'Ève pût commettre la bêtise que l'on sait pour une simple pomme ; aussi donnèrent-ils au « fruit de la connaissance » des traits plus insolites : ceux d'un ananas. Les pommes pleuvaient dans les prés, n'importe qui les ramassait sans protestation des propriétaires. Mais les plus belles, cueillies à la main par temps sec, après la rosée, pour n'y pas laisser d'empreintes digitales, partaient en panerées jusqu'à Escoutoux, jusqu'à Thiers, jusqu'à Courpière. Vendues au quarteron, c'est-à-dire par vingt-cinq. Or il se trouva un jour un marchand venu de Clermont, avec sa bascule, acheter ce qui se vend au poids : patates, pommes à cidre, courges, potirons, châtaignes. Ma Grande lui proposa le contenu de son panier, disant :

« Y en a un bon cent. Je les ai comptées.

— Croyez-vous, ma pauvre, que je compte ce qu'on m'apporte ? Je le pèse.

— On ne pèse pas les pommes !

— Moi je pèse tout : les pommes, les poires, et vous-même si vous voulez.

— Nous ne ferons pas marché. Je ne suis pas à vendre.

— Je vous pèse pour le plaisir. »

Elle accepta, monta sur la bascule. Malgré ses multiples cotillons, sa boîte à billets, ses sabots, son chapeau de paille, elle n'atteignit pas le *quintal* de cent livres. Alors le Clermontois choisit une grosse pomme rouge, la glissa dans la poche de son tablier et, merveille ! le poids y fut tout juste. Ma Grande raconta ensuite jusqu'au terme de sa vie, comme si ces choses ne pouvaient plus changer : « Je pèse un *quintal* tout rond. Mais il me faut une pomme dans la poche. »

En d'autres saisons, elle sentait la fumée des genêts, qui a goût de réglisse. C'est que, dès les premiers froids, elle allumait dans les champs, tout en surveillant ses biques, des feux de genêt sec au milieu desquels elle disposait parfois quatre pommes de terre, deux pour elle, deux pour moi, après les avoir lardées de coups d'épingle afin d'empêcher leur explosion. C'était notre souper : nous les mangions brûlantes dans leur peau caramélisée, pas toujours très cuites en leur milieu, tu donneras un coup de dent de plus, me conseillait-elle. Après quoi, on ajoutait des branches au feu, on s'y chauffait, j'admirais la beauté des flammes jaunes, la variété des tisons, le rougeoiement des braises. Nous revenions des champs fumés comme des jambons. En son logis, elle me nourrissait de lard et de *patchà* qui était à l'époque, me semble-t-il, une sorte de plat national dans l'Auvergne misérable : elle écrasait avec un pilon des patates pelées dans le chaudron même qui les avait fait cuire, les assaisonnait d'un filet de vinaigre et d'une pincée de sel. Un délice. Repu, je faisais la sieste et, pour me protéger des mouches, elle me couvrait la figure de son chapeau de paille jaune à ruban noir, serré aux oreilles. J'ai encore dans les narines l'odeur séculaire de ce chapeau, la même que celle des meubles vermoulus, du tiroir à pain où bleuissaient d'antiques miettes, des étoffes conservées dans la menthe. Toute la maison sentait le vieux, comme ma pauvre Grande aux genoux maigres, aux mains noueuses, au visage plus ridé que le cuir d'un soufflet. Si pauvre et si généreuse, qui laissait tomber autour d'elle les billets de dix francs comme des feuilles mortes. Le lit sentait aussi quelque peu la soupe aux choux. Car à la belle saison, elle profitait des braises de midi pour préparer et tremper la soupe du soir, en remplissait une soupière qu'elle fourrait ensuite sous l'édredon, où elle se conservait chaude jusqu'au moment de sa consommation, sans qu'il fût nécessaire d'allumer un autre feu.

Une odeur nouvelle vint tout déranger : celle de ma grande cousine Eugénie, mariée depuis peu. Elle se lavait à la savonnette et s'aspergeait la tête de « sent-bon ». Elle et son jeune mari dormaient dans le logement contigu au nôtre. Henri m'était apparu la première fois en uniforme bleu ciel, un bonnet d'âne de pareille couleur sur la tête. Il venait, me disait-on, d'occuper la Bochie, de venger mon père et mes oncles : histoires compliquées auxquelles je ne comprenais goutte. Puis il endossa des vêtements ordinaires et se mit à secouer un accordéon sur ses genoux en chantonnant :

Si vous connaissiez la Lisette
Vous en perdriez la raison ;
Mais vous en perdriez la tête
Si vous connaissiez Lison.

Quand tous deux s'étaient enfermés dans leur chambrette, des bruits de baisers filtraient à travers la porte.

« Grande, demandais-je, qu'est-ce qu'ils font donc ?

— Ils appellent les chats ! »

Étrange occupation au milieu de la nuit ! Les chats n'accouraient point à l'appel, trop occupés ailleurs. A poursuivre les rats — des rats gros et joufflus comme des lapins — que j'entendais galoper dans le grenier sur ma tête, nourris de bon blé, d'oignons, d'aulx, de coloquintes.

Au-dessous de notre résidence travaillait mon oncle Benoît — père d'Eugénie — dans sa « boutique ». Il avait rapporté de son service militaire cette touffe de poil sous la lèvre inférieure, la mouche, mise à la mode par un éphémère président de la

République, Mac-Mahon, et depuis ne l'avait plus quittée. Ses yeux étaient marron, ses dents jaunes, ses mains noires : il exerçait le même métier que le grand-père Évêque, dont il répétait fidèlement les vertus et les vices. Il ne sortait guère de son échope, mais m'y attirait volontiers pour m'enseigner les gestes du violoneux en coutellerie. Je ne sais pourquoi, il m'appelait *Piare* (Pierre), au lieu de me donner mon prénom officiel de *Djantouni*. C'était également un joyeux ivrogne dont l'ambition était de me rendre pareil à lui-même. Les jours de lessive, sa femme, ma tante Bournillasse (je ne l'ai jamais entendu nommer autrement que par ce féminin de son nom de fille, Bournillas) étendait son linge sur un fil. Une pièce me plongeait dans de longues rêveries. Il s'agissait de ses culottes, deux sortes de ballons dirigeables quand le vent les gonflait, unis par un bout, ornés à l'autre par un cercle de dentelle. Leur agitation mettait en fuite pies, buses, corbeaux, mieux que tout épouvantail.

« Qu'est-ce que c'est que ça ? demandai-je à mon oncle.

— Ça ? C'est l'enfer ! »

Puis il m'emmena dans son arrière-boutique, remplit sous le robinet de son tonneau l'étrange récipient dont il se servait pour boire en solitaire : un entonnoir fiché dans une patate. Il le vida, m'en offrit le pareil :

« Et ça, conclut-il, c'est le paradis. »

J'eus longtemps de l'enfer et du paradis une conception à base de culottes et d'entonnoirs.

[illegible]

« Qu'est-ce que c'est que ça ? demandai-je [illegible]

— Ça ? C'est l'enfer ! »

[illegible] dans son arrière-boutique [illegible]

« Et ça, conclut-il, c'est le paradis. »

[illegible] du paradis [illegible]

Tes père et mère honoreras...

J'ai hâte de parler de ma mère et, dans cette traversée du fleuve de la mémoire, j'abandonne mes oncles et tantes innombrables au milieu du gué, quitte à revenir ultérieurement les prendre par la main.

Née Félistine Chaleron, ma mère était la plus jeune des six enfants vivants du vieil Évêque et d'Antoinette Lavest, sa légitime épouse. Ce prénom insolite fut sans doute le cadeau d'un certain parrain Félix dont je ne sais rien ; mais je sais que *Félistine* fut très vite remplacé par *Célestine*, plus doux à prononcer comme à entendre. Elle fut, m'a-t-on dit, mal acceptée de ses frères aînés, et spécialement de Jean-Marie qui portait déjà des braies longues à la naissance de cette sœur nouvelle et louait ses maigres bras dans les fermes avoisinantes. Il y avait si peu de pain dans la maison ! On se nourrissait de pommes de terre, d'herbes à lapins, de topinambours à cochons. Et voici qu'il leur arrivait une bouche de plus, toute vorace, toute geignarde ! Un jour, sa mère lui recommande :

« Berce ta sœur, pendant que je vais ramasser des pissenlits. »

Le voici donc qui se met à la balancer, d'abord doucement, puis avec vigueur, lui lançant l'injure patoise qu'on réserve aux parasites :

« *Golo-po-ganhà ! Golo-po-ganhà !* Goule-pain-gagné ! »

Sa colère enfle comme une lessive. Elle déborde enfin : violemment poussé, le berceau se renverse sur la petite. A tel point que la mère, revenue peu après, la trouve demi-étouffée, tandis que Jean-Marie pleure dans un coin des larmes d'assassin.

Maurice, son aîné de quinze mois seulement, fut en revanche pour Célestine le plus tendre des frères. Elle partageait tout avec lui : ses jeux, son morceau de pain, son œuf, sa pomme, ses noisettes. Et même son vaccin antivariolique. Il avait reçu en effet à l'école sa dose personnelle et lui montra les magnifiques pustules qui en résultaient :

« Ça m'empêchera d'attraper la *pycote*, précisa-t-il. Une maladie qui fait mourir. »

Il expliqua comment le médecin avait procédé pour le gratifier de ces bubons, la plume métallique qui te griffe la peau et introduit dessous la miraculeuse protection. Il proposa enfin de la vacciner de la même façon avec une aiguille à repriser, car il ne voulait pas la laisser sans défense contre la *pycote*. Elle accepta, Maurice enfonça une grosse aiguille dans une de ses pustules, y préleva une goutte de pus, l'inocula dans le bras gauche de Célestine ; elle supporta le tout sans gémir, certaine que son frère agissait ainsi pour son bien. Ils surveillèrent les effets de l'opération et eurent la joie, quelques jours plus tard, de voir se former à l'endroit piqué d'abord une rougeur, puis une enflure, puis la pustule désirée.

« Voilà, dit Maurice. Tu ne mourras pas de *pycote*.

— Ni de *pycote*, ni d'autre chose. »

Ils se promirent de ne pas mourir du tout, s'il était possible. Ou du moins de ne pas mourir l'un sans l'autre. Maurice fréquenta l'école des frères, Félistine celle des sœurs. On y apprenait principalement les prières, la couture, la broderie ; à temps perdu et accessoirement, la lettre imprimée et la lettre manuscrite. Chaque matin, ils partaient ensemble, main dans la main, emportant leur bidon de soupe et leur musette. Bien des obstacles les retardaient : une procession de fourmis, un oiseau mort, une chemise de serpent abandonnée au bord de la route. Ils empruntaient des raccourcis, sautaient des ruisseaux, quat'kilomètres à pied, ça use les sabots. Parfois, il la portait sur son échine, le temps qu'elle se reposât un peu. Il la protégeait de tout mal : des branches basses, des chiens mal intentionnés, du froid, de la pluie, de la fatigue.

« Quand je serai grand, disait-il j'achèterai un cheval et sa voiture. Je t'emmènerai jusqu'à Vollore ! Jusqu'à Courpière ! Jusqu'à Ambert ! »

Il avait hâte de grandir et de se savoir une moustache accrochée sous le nez, comme tous les hommes d'alors. Pour hâter sa venue, il se barbouillait la lèvre supérieure avec de la fiente de poule, le meilleur de tous les engrais ; mais le poil tardait à venir.

Quand elle eut dix ans, malgré leurs promesses de

ne jamais se quitter et ne mourir qu'ensemble, malgré leur chagrin, Félistine et Maurice durent se séparer. Tandis qu'il restait aux Bonnets pour travailler la terre, elle s'en alla servir « dans les châteaux ». Elle fut à la Gageyre où se pratiquait un grand élevage de porcs et où sa bonne volonté fit merveille. Elle fut à Barante, sur les rives de la Dore, dans la famille des illustres barons, diplomates et historiens. Elle fut à Maulmont, près de Randan. Chez d'autres peut-être encore. En même temps que le soin des animaux, elle apprenait celui des enfants et des hommes. Et quelques bonnes manières : l'art de se laver, de se peigner, de s'habiller. Une autre photo la montre à dix-sept ans, tirée par Pierre Pagnon demeurant 10 rue Nationale et 1 rue Pasteur à Thiers, artiste photographe, titulaire de deux médailles d'or. Heureux Pierre Pagnon ! Bénis trois fois les yeux qui ont vu ma mère à l'âge de dix-sept ans ! Mille fois les oreilles qui l'ont entendu parler, chanter, éclater en rires ou en pleurs ! Bénie la terre qui l'a portée, les vents qui l'ont bercée, les sources où elle a bu ! La voici, très droite dans son endimanchement, sa robe à fronces et son corsage blanc avec tour de cou ; la chevelure haute et touffue, surmontée du chignon, le regard droit sans arrogance, le menton fin et allongé, les lèvres fermes et graves, sans sourire de commande. Ce pourrait être, bien qu'elle sût à peine son alphabet, un visage d'institutrice, de demoiselle de compagnie. J'aimerais en voir davantage : les mains, le reste du corps, les chaussures. Il faut que je me satisfasse de ces beaux et fins et sérieux traits de 1907, marqués d'attente.

Ce fut vers cette époque qu'elle entra, elle aussi, à Bonneval, au service du notaire de Riom, pour qui travaillait un abondant personnel, et y fit la connaissance de Jean Anglade, ouvrier agricole en la circonstance, maçon, menuisier, charron, charpentier quand il le fallait, à peine libéré du service militaire.

La plus ancienne preuve écrite que j'aie de l'existence de mon père est un petit calepin rose portant ce titre en frontispice : *Le cafard de la classe 1905.* Acheté à la cantine de la caserne Rondeau à Grenoble, il servait à rayer chaque jour accompli, d'un trait alternativement rouge et bleu. Alignement de jours perdus dont il ne reste, çà et là, que la trace d'une annotation dérisoire : *garde*, *exercice*, *travaux de propreté*, *tabac*, *gamelle*, *repos*, *revue du général de brigade*. Et même : *cuite*, *2 jours de salle de police*, *4 jours de salle de police*... Des plaisanteries trouffionesques : *Si on rengageait ? Oui, dans les chasseurs de cailles.* Incroyable, mais vrai ! O mon père de carte postale ! (Je n'en ai jamais connu d'autre.) Si sérieux dans tes portraits, la moustache si grave, toi qui, aux dires de ma mère, possédait toutes les qualités *sauf une* (mais elle ne voulut jamais me préciser laquelle), tu as donc eu aussi tes moments de polissonnerie ! Après tout, tu étais aussi de Thiers et tu as bien dû savoir éclater de rire, toi qui disais en parler auvergnat de ta barbe, de ta propre barbe (malgré ce proverbe allemand : « Nul ne crache sur sa propre barbe ») : « Elle est couleur de la merde. » Ce qui explique peut-être que tu aies renoncé très vite à cet attribut de la toute-puissance.

A propos de signalement, je trouve le tien à la première page de ton livret militaire : *cheveux et sourcils blonds, yeux bleus, front découvert, nez petit, bouche moyenne, menton à fossette, visage ovale.* La couleur de la barbe n'est point précisée. Ce qui me surprend le plus est la stature : *un mètre et cinquante-neuf centimètres !* Je te dépasserais donc, dos à dos, de la tête ! Il est vrai que tout le monde était plutôt bas-du-cul chez les Anglade que j'ai eu l'occasion de fréquenter. Sans doute, dans mon enfance, ai-je été mieux nourri que toi. Si bien qu'à présent, moi qui ai dépassé aussi le double de ton âge, j'éprouve à ton égard des sentiments mélangés, filiaux et paternels à la fois. Quels beaux conseils je pourrais te donner si tu ne m'impressionnais si fort dans ta vareuse de drap bleu, marquée de galons jaunes *en forme de V renversé,* comme le précisait le règlement militaire ! Tous les portraits que j'ai de toi te montrent ainsi en uniforme, coiffé du casque ou du béret alpin. Oh ! comme j'aimerais t'avoir en vêtements civils, d'ouvrier agricole, de maçon, de charpentier, la tête nue de préférence (comment portais-tu les cheveux ?), prouvant que tu n'as pas toujours été simple chair à canon, mais aussi chair à travail et à bonheur. Chair à canon est le terme exact. Le 27 septembre 1916, dans ce que le communiqué officiel devait présenter comme une « simple offensive de rectification » près de Cléry (Somme), tu fus écrabouillé par un tir d'artillerie, avec quelques autres hommes bleus. Tandis, un peu plus tard, qu'on rapportait vos restes sur des civières, mon oncle Annet qui servait au même endroit et dans la même arme s'écria thiernoisement, les voyant d'un peu loin passer :

« *Enquèro d'otri d'ipeçà !...* Encore quelques-uns de dépecés ! »

Sans te reconnaître dans ces débris.

Voilà donc tout mon héritage : ce petit calepin à rayer les jours, ce livret, quelques photos, une pipe au culot patiemment ciselé : le tuyau porte la marque de tes dents et le fourneau garde l'odeur de ton tabac de troupe. Tout cela fut découvert dans tes poches, lessivé pour enlever les traces de sang, expédié à ma mère. J'apprends dans le livret les dates de tes vaccinations antityphoïdiques, la grosseur de ton tour de tête et de ta ceinture, ton aptitude à lire et à écrire, ton adresse au tir, ta nullité en natation. Cela ne m'étonne point : peu d'Auvergnats de ton époque avaient le goût de l'eau. Les simples bains de pied n'étaient acceptés que sur prescription médicale, enrichis de farine de moutarde.

Fils d'un pauvre métayer, tu n'avais rien à espérer de la coutellerie thiernoise. Aussi, à peine finis tes deux ans dans l'arme alpine, suivis-tu la suggestion de ton frère Claude, déjà au service du notaire riomois comme chauffeur-mécanicien, déjà époux de Mathilde Saint-André, et les rejoignis-tu au château de Bonneval. Il s'y trouvait aussi une jeune servante âgée de dix-huit ans, qui disait s'appeler Célestine, native comme toi du pays coutelier. Cette circonstance et bien d'autres vous rapprochèrent. Les fiançailles et le mariage furent très vite décidés. Naturellement, la noce se fit un samedi, en l'église de Romagnat, en présence des seuls témoins, des maîtres et des autres domestiques. Les parents directs furent bien fâchés de ne pouvoir venir de Lamirand, des Bonnets, à cause de la distance, de leur inaptitude à prendre le train ni les diligences.

« Apportez-moi seulement, recommanda le vieil Évêque, une andouille quand vous aurez l'occasion. »

Ce furent des noces de domestiques, mais joyeusement célébrées par le vin et par l'andouille dans une grange du château. On dansa sur le sol en terre battue des bourrées et des polkas, sans aucun instrument, tandis qu'une vieille faisait à elle seule la musique, de la bouche, du nez et de la gorge. La mariée portait sa robe à fronces, et un voile blanc retenu sur la tête par une couronne d'aubépine. Malgré les lois de 1814, 1880 et 1906, malgré les recommandations de l'Église, le repos hebdomadaire des ouvriers était alors très mal observé dans les fermes. Étant donné les circonstances, le châtelain se montra néanmoins généreux ; il vous donna tout entier le dimanche qui suivit.

« Qu'allons-nous en faire ? » demanda Célestine.

Tu proposas de monter jusqu'à Gergovie voir le monument. Vous n'aviez pas encore eu le temps nécessaire pour accomplir l'ascension du plateau. Vous gravîtes donc la colline escarpée contre laquelle se sont peut-être usées jadis les légions de César. (Je dis « peut-être » parce qu'il n'est pas absolument sûr que ce plateau soit le site véritable de l'antique oppidum gaulois ; plusieurs autres collines de la région revendiquent cet honneur. Qui règlera définitivement cette querelle ?) Mais Jean et Célestine ignoraient tout de la bataille. Ils marchaient en se tenant par la main et se lâchaient seulement quand les broussailles étaient trop denses. « Je vais devant pour chasser les serpents s'il y en a », disait mon père.

Ils atteignirent le sommet et virent cette bizarre chose formée de trois colonnes supportant un énorme chapeau orné de deux ailes. Le tout en pierre de Volvic, quasi noire, bien que de loin elle eût l'apparence du bronze.

« C'est le casque de Vercingétorix, expliqua mon père, le désignant, car il avait quelques vagues lumières là-dessus.

— Il l'a oublié là ? s'étonna ma mère.

— Attends, il y a une explication, on va savoir exactement. »

Elle lisait difficilement. Lui montrait plus d'aisance dans cet exercice, ce qui lui avait valu le grade de caporal au 14e. Il s'efforça de déchiffrer en remuant les lèvres, lut et relut.

« J'y comprends rien, avoua-t-il. C'est pas du français.

— Pas du français ? Qu'est-ce que c'est donc ?

— Va-t'en savoir ! »

En effet, c'était du latin. Y a-t-il jamais eu idée plus saugrenue que de placer sur le monument d'un résistant glorieux une inscription rédigée dans la langue de l'ennemi ?

Ils donnèrent la leur aux chats. De là-haut, ils contemplèrent la Limagne dorée, les collines lointaines du pays d'où ils venaient, Clermont le Noir dressant au ciel les cornes de sa cathédrale, Bonneval entouré de ses champs et de ses vignes.

« Attends, dit mon père. On ne va pas repartir comme ça. Faut qu'on laisse un souvenir. »

Il fouilla ses poches, trouva un calepin et un crayon-encre, arracha une page, écrivit leurs deux noms : *Jean et Célestine*, la date du jour ; il enfouit ce feuillet entre deux pierres du socle qui portait ces trois colonnes. Ensuite, ils errèrent sur le plateau une heure ou deux, le vent était frais. Ils savaient que sans eux les autres domestiques avaient double ration d'ouvrage. Ils ne profitèrent pas de leur permission exceptionnelle tout entière et redescendirent vers le château. Ainsi s'acheva leur voyage de noce au monument de Gergovie.

Beaucoup plus tard, tandis que j'étais à quelques kilomètres de là élève à l'École normale d'instituteurs de Clermont, ma mère me raconta ces choses, me recommandant de faire à mon tour cette ascension, de fureter parmi les pierres du socle, qui sait, tu retrouveras peut-être notre papier. J'accomplis le pèlerinage. Sans résultat. Les araignées, les mouches, les souris, des saisons sans nombre l'avaient consumé. Ainsi, quoi qu'on en dise, les écrits s'envolent quelquefois, mais les paroles demeurent : celles de ma mère, celles de leur dialogue fidèlement rapporté.

Il fut un temps où se transmettaient ainsi de bouche à oreille tout savoir, tout amour et toute foi.

Au début de l'année 1912, il fallut quitter Bonneval, son seigneur et maître, ses vignes, sa mansarde sous les combles, étouffante l'été, glaciale l'hiver, car un fruit s'annonçait dans les entrailles de Célestine, comme dit le *Je vous salue*. Adieu Gergovie et son monument indéchiffrable ! Adieu Clermont et ses noires maisons ! Retour au pays natal. Mon père trouva en même temps un travail chez un entrepreneur de maçonnerie et un logement : la Maison Rose, sise route de la Russie, à main droite en descendant vers le Moutier, juste avant le dernier grand virage. Au rez-de-chaussée : une cuisine et sa porte, une chambrette et sa fenêtre. Aux étages, des voisins dont je ne me rappelle rien. Mais autour, un vaste jardin en pente, plein de groseilliers, de framboisiers, de pêchers, de cognassiers, de lézards, de cochenilles. Une longue murette qui me servait de table, sur laquelle je faisais courir mes bobines, mes boîtes, mes bûchettes, chars, trains, voitures imaginaires. Balcon d'où j'observais au-dessous la route nationale 89, Bordeaux-Lyon, toujours encombrée de cyclistes, de chevaux, d'ânes, de mulets, de colporteurs, d'automobiles à pétrole. De régiments en manœuvres venus de Montbrison, Saint-Étienne, Lyon, en route pour la Courtine dans leurs uniformes bleu horizon, avec leur musique, leurs fourgons, leurs cuisines roulantes.

C'est dans la Maison Rose que naquit une fillette prénommée Jeanne selon son père et Claudine selon son parrain, l'oncle mécanicien-chauffeur. Je sais peu de chose de cette sœur aînée, mais demeurée minuscule puisqu'elle ne vécut que seize mois, mourut de méningite, sauf que sa disparition causa la plus grande douleur au jeune ménage. Quarante ans plus tard, ma mère se reprochait encore de n'avoir pas fait, sans doute, tout ce qu'il fallait pour la sauver :

« J'aurais dû lui donner des lavements... J'aurais dû... »

Du moins, parmi mes reliques, ai-je d'elle la plus triste des images : une photo exécutée à son lit de mort. On l'y voit adossée à l'oreiller, son visage rond entouré de longs cheveux noirs, les yeux clos, la bouche entrebâillée, chaudement vêtue de sa camisole de tricot, ses menottes potelées ouvertes sur le drap. Elle semble dormir. Petite âme tombée sur terre pour n'y briller que quelques saisons, comme celle des vers luisants. Sœurette de carte postale aussi que je n'ai jamais vue, qui ne m'a jamais vu. « Dieu l'aimait tellement, avait-on coutume de dire autour de moi, qu'après l'avoir laissé un moment s'évader, très vite il la rappela dans son Paradis. »

La Maison Rose fut remplie de larmes et de gémissements. Puis l'on jugea qu'il y avait mieux à faire, et très vite je fus programmé, malgré les soubresauts et les inquiétudes qui agitaient ce printemps de 1914.

*

J'oubliais une pièce essentielle de mon héritage : la truelle de mon père. Il existe des truelles à bout rond, à bout pointu, en langue de chat. Celle-ci est à bout carré, comme son menton à lui. A poignée de bois dur, lissé par ses paumes. La rouille en a noirci le fer ; toutefois, je la tiens au sec et l'érosion ne va pas plus profondément. Il m'arrive de m'en servir encore dans mes maçonnages d'amateur et je n'en veux pas d'autre. J'aurais aimé être l'apprenti — on dit même le goujat — de mon père. Savoir grâce à lui choisir les pierres convenables, les tourner entre mes mains, rectifier au marteau telle ou telle arête, les installer à leur juste place, en chicane, de sorte que les joints se contrarient au lieu de se prolonger. Éviter ainsi le fameux « coup de sabre » qui risque de se changer avec le temps en une longue lézarde. Savoir user du fil à plomb, du niveau à bulle, de l'équerre, de la boucharde. Et de la truelle par-dessus tout. Savoir pétrir la pâte, la poser sur la taloche, la lancer de l'avant, de l'arrière, de côté. L'art de placer son mortier — comme de placer sa balle — au bon endroit, avec la force et l'incidence nécessaires, ressemble à celui du joueur de tennis. Personne n'est là, cependant, pour applaudir l'humble artisan et le proclamer champion. A l'autre, au faiseur de vent, l'or et la gloire. J'imagine mon père en sabots, car le sabot protège mieux que le brodequin contre la chute des pierres ; en pantalons de velours serrés à la cheville ; en ceinture de flanelle rouge ; en gilet Lafont ; en chapeau noir ; les mains durcies par la chaux et le ciment ; la moustache poudrée. Jeune à ne pas croire : vingt-sept ans, vingt-huit, vingt-neuf. Rapportant joyeusement sa paye à la maison. Il gagnait dix-huit francs par semaine. Chaque samedi, il se munissait d'une blanche pièce de quarante sous qu'il remettait à son patron ; en sorte que de ce dernier il touchait vingt francs tout ronds : une pièce d'or, un louis, un napoléon, un jaunet, qu'il donnait à sa femme en disant :

« Célestine, tâche de le changer le plus tard possible. Car les petites pièces filent entre les doigts comme les petits poissons. »

Elle plaçait donc ce louis entier dans un coffret, où il trouvait la compagnie de quelques autres. Toute l'armoire se trouvait échauffée par leur rayonnement. On s'efforçait de vivre sur les miettes, les pièces de dix, de cinq, de deux ou d'un seul sou. C'était l'époque où l'on avait trois œufs pour cinq centimes. Quelle était donc, mon père, cette qualité unique qui te manquait et sur laquelle ma mère ne répondait que par un sourire ? Était-ce ton manque de largesse ? Que ceux qui ne gagnent pas plus de dix-huit francs-or hebdomadaires et dépensent plus abondamment lui jettent la première pierre.

Beaucoup plus tard, alors que nous marchions ensemble vers la maison de Lamirand, passant au lieu dit les Catharins, dans la banlieue de Thiers, ma mère me montra une maisonnette :

« Voilà le dernier ouvrage de ton père. »

Il en achevait le crépi quand les cloches du 2 août se mirent à sonner. Il prit le temps de laver sa truelle, son auge, sa taloche, comme si elles devaient lui resservir le lendemain. Tant que dura cette maisonnette, j'avais coutume de caresser au passage la peau rèche de son mur.

Il n'était que de suivre le courant, tout vous portait vers la gare, la foule des appelés et de leurs familles, les cris « A Berlin ! A Berlin ! », les fleurs, les chansons, les coups de sifflet de la locomotive, Dieu que la guerre allait être jolie ! Exception parmi ce délire, mon père ne partit point joyeusement, mais avec son habituel sérieux, nous nous reverrons, mon absence sera courte, jusqu'à la Noël, promit-il. Nous nous écrirons.

Célestine resta seule dans la Maison Rose à préparer la layette. La première carte vint de Grenoble. Il fallut répondre. Alors, elle se sentit si gauche, la tête si remplie de fautes d'orthographe qu'elle s'en fut trouver M. Méliodon, un voisin instituteur proche de la retraite, que son âge avait privé des joies de la mobilisation.

« Je voudrais dit-elle, apprendre à écrire des cartes, des lettres, de façon lisible. Et sans faire de fautes.

— Ce sera long », la prévint-il.

Il lui fit faire des pages d'écriture, des conjugaisons, des exercices, elle se perdait dans les masculins, les féminins, les singuliers, les pluriels. Mais enfin, on put la lire et la comprendre. Jean envoyait des billets optimistes : *Je n'ai besoin de rien du tout. Quant à la santé, je ne peux demander mieux pour le moment. Soigne-toi bien.*

Fin septembre, cependant, une nouvelle affreuse — en ce début de la Grande Guerre les nouvelles affreuses avaient encore des ailes — les atteint : Claude, le frère aîné, l'ex-chauffeur-mécanicien, celui sans qui ils ne se seraient pas connus au château de Bonneval, le parrain de la malheureuse Claudine-Jeanne, est tombé dans ce qu'on appellera la bataille de la Marne. Sa jeune épouse Mathilde s'installe dans une solitude et une fidélité éternelles ; elle place le petit portrait du disparu sur sa table de nuit, et s'endormira chaque soir, pendant trois-quarts de siècle, après lui avoir parlé des yeux et du cœur.

En octobre, dans je ne sais quelle autre affaire, une balle te traversa le poignet droit et t'envoya, mon père, à l'hôpital de Suze-la-Rousse (Drôme). Pendant ta convalescence, tu fus chargé d'instruire les « bleus » de la classe 15. Une photo difficile à reproduire te montre au milieu de ces jeunes garçons chaussés de galoches ou de godillots, en pantalons ou en bandes molletières, en treillis ou en vareuse, assez soldats-de-l'an-II, mais tous coiffés de l'immense béret-omelette que chacun porte selon son goût personnel : cassé en bec au-dessus des yeux, pendant sur l'oreille gauche, enveloppant autour du front. Personne ne sourit, mais tu as l'air le plus sombre. Tu t'en expliques au verso : *Ne crois pas, ma chère amie, que je sois devenu maigre comme un clou : c'est parce que je ne suis pas rasé de frais. Bien que je paraisse chétif, je me porte très bien.*

Pendant ce temps, Jean Pétaret se prépare à naître. Un peu avant l'échéance, Célestine quitte la Maison

Rose, marche douze kilomètres et se réfugie aux Bonnets, chez sa mère à elle qui a eu six enfants vivants et ne demande qu'à l'assister. C'est là qu'agnelet de peu de laine je pousse mon premier bêlement, le 18 mars 1915. Nul ne posera jamais aucune plaque commémorative sur ma maison natale car, comme j'ai dit, pluies et neiges l'ont dissoute, ronces et buissons recouvrent ses fondements. Dès le lendemain, mon Grand cessa de jouer du violon, se rasa, chaussa ses meilleurs sabots et s'en fut jusqu'à Thiers, résidence habituelle de Célestine, déclarer ma venue au bureau de l'état-civil. Il pensait qu'il vaut mieux naître dans une ville importante comme Thiers, riche d'industries, d'emplois publics, d'allocations, de tintamarre, plutôt que dans une commune rurale, sans ressources et sans voix, comme Escoutoux. Aussi commit-il une irrégularité en m'attribuant pour lieu de naissance le domicile officiel de ma mère. Le secrétaire qui l'enregistra munit à cette occasion son porte-plume d'une plume neuve toute brillante :

« Faut bien marquer l'événement ! fit-il observer. Nouvelle vie, nouvelle plume. »

C'était une invite discrète au pourboire qu'il répétait à chaque déclaration, remettant après coup la plume neuve dans sa boîte après l'avoir essuyée. Le vieux Jacques, trop simple, avait besoin d'un appel plus direct pour comprendre ; sans autre formalité, il reprit la route des Bonnets. Par l'effet de son voyage, je jouis donc de ce rare privilège de posséder deux lieux de naissance, un naturel et un administratif.

Une lettre partit en même temps annoncer au caporal Anglade sa seconde paternité. Il dut en éprouver une grande joie, car ses cartes ne s'adressèrent plus seulement désormais à Célestine, mais portèrent double suscription : *Ma bien chère femme et mon cher petit fils.* Il connut mes traits par cette photo qui, restée pendant des mois au chaud dans son portefeuille, m'est revenue craquelée par l'amour et par la mort. On m'y voit sur un coussin, les orteils en bataille, cerclé de bracelets, de plis, de fossettes, les oreilles déjà plus longues et plus larges que nécessaire. Au dos, ces lignes de Célestine : *ça m'a coûté 7 francs, car on a dû prendre quatre poses, je ne pouvais pas le faire rester tranquille, ton polisson.* En cela non plus je n'ai point changé. Quand donc sauras-tu, pauvre Jean Pétaret, rester au repos dans une chambre comme le veut Blaise Pascal, et par ce moyen éviter tout le malheur des hommes ?

Revenue à la Maison Rose, Célestine fréquente assidûment les photographes. Me voici, âgé de presque deux mois, sur ses genoux, langé selon les règles, retenu par cette main que j'ai tant aimée, dont la mienne est la copie fidèle, les veines un peu saillantes comme les nervures des feuilles. Vêtue d'une stricte robe noire, comme déjà en deuil, ma mère a son beau visage grave, à peine alourdi par l'inquiétude et par sa tête penchée. Elle ne s'en montre point satisfaite : *Un homme qui est passé a fait notre photo, ça n'a été ni long ni cher : un franc les six. Mais je suis très mal, je regrette bien mes vingt sous. Le petit, c'est tout à fait lui. Pour moi, je sais bien que je suis mal de mon naturel ; la photo ne peut donc m'arranger. Enfin, c'est comme ça. La beauté ne se mange pas en salade. J'en ferai tirer une autre pour essayer quand même.*

Et voici la troisième. En compagnie cette fois de ma grand-mère venue tout spécialement des Bonnets. Ses sabots bien noircis avec la suie de la poêle ; son tablier de toile à rayures noué sur le ventre ; une poche enflée sans doute par une pomme ; son châle auvergnat sur les épaules ; ses cheveux retenus dans sa coiffe tuyautée. Elle a soixante-neuf ans ; elle en paraît quatre-vingts ; mais dorénavant elle ne prendra pas une seule ride de plus : où la mettrait-elle ? Et moi au milieu, repu d'orgueil dans ma belle robe blanche, à moins que ce ne soit d'une récente tétée.

Ces divers portraits s'en allaient gonfler ta vareuse. Mais nous ne fîmes réellement connaissance, toi et moi, qu'environ quinze mois plus tard, lorsqu'une permission de détente te fut accordée. Nous voici enfin tous les trois réunis : douze jours de bonheur. Je marche, je bavarde, je chante, je monte sur ton dos, je te tire les moustaches, je m'intéresse à cette fraise que tu portes de naissance sur la paupière gauche ; je réclame un tambour :

« Un tambour ? D'accord. Je te l'apporterai à ma prochaine permission.

— Bonne Vierge ! dit ma mère dans ses prières. Faites que la guerre finisse pendant qu'il est là ! Qu'il n'ait pas besoin de rapartir ! »

Mais les guerres ont la vie dure. Tu avais repris tes vêtements de maçon ; il te faut rendosser ta tenue de caporal. Le dernier jour, nous retournons ensemble chez le photographe. Portrait de famille. Toi dans ton uniforme bicolore, bleu marine par le haut, bleu horizon par le bas ; solidement planté sur tes jambes un peu courtes, le poing droit sur la hanche, la main gauche sur l'épaule de Célestine. Tu as trente et un an. Dans cent jours, tu seras écrabouillé. Elle, élégante et belle malgré sa robe de veuve, une montre en sautoir dans une pochette, le visage crispé. Moi debout entre vous deux sur une chaise de coin, une médaille pendue au cou, joyeux comme un jour de Pâques.

Deux heures plus tard, le train t'emporte à jamais. Vers Grenoble, vers la Somme, vers Cléry. « On choisit son père beaucoup plus souvent qu'on ne pense », écrit Marguerite Yourcenar. Elle a raison. Je te choisis, mon père de carte postale. Je n'en voudrais pas d'autre pour un royaume : toi qui eus toutes les qualités moins une, moi qui, me semble-t-il, ai tous les vices moins un. Ma mère m'a raconté qu'après ton départ, déjà habitué à ta présence, je te cherchais dans la maison, je t'appelais, j'ouvrais les portes des placards pour examiner si tu n'étais pas caché dedans.

Tu fus détruit, comme j'ai dit, le 27 septembre 1916. Mais à cette époque, on avait rogné les ailes aux nouvelles de malheur. Si bien qu'à la mi-octobre seulement nous arriva ta dernière missive, expédiée du secteur postal 192, la veille de ta mort. Une simple carte, modèle A', réservée aux troupes en opération, sans timbre poste, écrite au crayon, munie de ces recommandations imprimées : *Cette carte doit être remise au vaguemestre. Elle ne doit porter aucune indication du lieu d'envoi ni aucun renseignement sur les opérations militaires passées ou futures. S'il en était autrement, elle ne serait pas transmise.* Je t'imagine la traçant sur tes genoux, à une heure de répit dans ton trou de rat. En voici le texte manuscrit, presque illisible, exactement reproduit à l'orthographe près :

Mardi le 26-7-16. Ma bien chère femme et mon bien cher petit fils je fais réponse à votre lettre dans laquelle tu m'as envoyé celle de M. Ducros qui m'ont bien fait plaisir de savoir que vous êtes toujours en bonne santé quant à moi je ne peux pas mieux demander pour le moment je ne peux guère t'en mettre je suis aux tranchées depuis avant-hier tout se passe bien pour le moment d'ici quelques jours je vous ferai une lettre tu embrasseras bien mon cher mignon fils pour moi je vais vous quitter mes deux bien chers aimés en vous embrassant des mille de fois sur votre joli cœur que j'aime et que je n'oublierai jamais *de ma* vie. *Jean Anglade.*

Ici se place l'épisode de la carte miraculeuse.

Louis Saugues est un passionné collectionneur de cartes postales anciennes. Il m'informe un jour, amicalement :

« J'en ai même une signée de vous.

— De moi ?

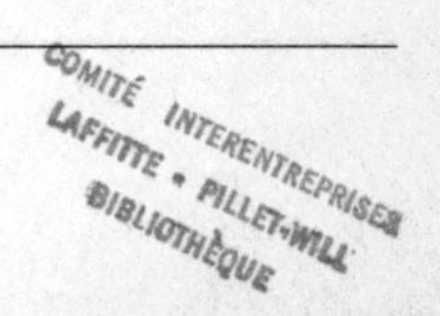

— Il faudra que je vous la montre.
— Comment l'avez-vous eue ?
— Au milieu d'un lot acheté à quelque foire aux paperasses. Mais je ne saurais préciser davantage. »

J'ai eu la carte entre les mains, signée *Jean Anglade* en effet, datée du 25 octobre 1916. Agé de dix-huit mois à cette date, je n'ai pu l'écrire moi-même. Il faut qu'elle l'ait été par quelqu'un d'autre et en mon nom. Elle montre au recto la gare de Thiers devant laquelle stationnent deux coucous d'hôtel venus attendre les clients possibles. Aucun timbre, aucun cachet postal : elle fut donc placée sous enveloppe. Le verso est couvert d'une écriture aux longues lettres penchées : indubitablement, celle de ma mère :

Thiers le 25 octobre 1916. Cher papa c'est moi ton grand garçon qui te fais cette lettre pour te dire que je pense toujours à toi hier j'ai rêvé à toi viens vite et apporte-moi mon tambour je t'aimerai bien et je t'embrasserai deux fois reçois cher papa de ton fils les meilleurs baisers affectueux. Jean Anglade.

La nouvelle de malheur n'était donc pas encore arrivée jusqu'à la Maison Rose. Mais quelqu'un en cours de route, postier ou vaguemestre, se trouvait déjà informé, qui jugea inutile d'acheminer ce pli, le jeta aux rebuts. Et voici le miracle : après plus de soixante années d'attentes, d'errements, de sommeil, de poussière, la carte rebutée sort de l'ombre, tombe entre les mains de Louis Saugues qui achève l'ouvrage des postes et me la remet. Retour à l'expéditeur. Destinataire décédé. Dix-neuf ans après le départ de ma mère, c'est comme si elle m'envoyait de son au-delà une carte postale écrite de sa main, pour me prouver, si j'en doutais, qu'elle ne m'oublie pas.

Quant au tambour, s'il ne me vint point de mon pauvre père, je n'en fus pas cependant privé : je me rappelle fort bien en avoir cassé les oreilles du voisinage alors que je défilais tout seul, au pas cadencé, sur la murette du jardin. Au-dessous, sur la nationale 89, défilaient en même temps de grands soldats dégingandés, vêtus de kaki, coiffés de larges chapeaux cabossés, mâcheurs de sin-sin-gomme ; ils me faisaient des gestes affectueux et me criaient *hello !* Le ciel bourdonnait de machines volantes que les Auvergnats mal instruits appelaient encore des *aréos*. Dans les rues de Thiers, le long des murs, s'empilaient comme du bois de corde les douilles d'obus. La guerre s'achevait dans le fracas et la douleur générale.

Quelques mois plus tard, ce fut une seconde mauvaise nouvelle : Maurice — que ma mère appelait Maurize — le frère bien-aimé avec qui elle avait jadis fait promesse de ne jamais mourir, Maurice disparut à son tour. Encore un chasseur alpin. L'avis officiel, arrivé par la Suisse, précisait qu'il était « décédé dans un hôpital allemand ». Détail qui tourmenta longtemps la famille. Car, raisonnait-on à cette époque, s'il était décédé (de quoi au juste ? de la grippe ? d'un coup de sang ? de ses blessures ?) dans un hôpital allemand, c'est qu'il était tombé aux mains de l'ennemi. Donc qu'il s'était RENDU ! Or se rendre à l'ennemi en 1917 était un acte infâme, de lâcheté et de déshonneur. En se promenant par les rues d'Escoutoux, ma pauvre Grande lisait une accusation dans les regards et entendait chuchoter derrière elle :

« Son fils Maurize s'est RENDU aux Prussiens ! »

Elle se hâtait de rentrer aux Bonnets en ravalant ses larmes et baissant la tête. Il se trouva des municipalités d'un patriotisme chatouilleux qui refusèrent d'inscrire sur leurs monuments aux Morts les noms des soldats décédés en Bochie. Pas celle d'Escoutoux cependant. Le nom de mon oncle Chaleron Maurice figure bien sur la stèle dressée à la gloire des Escoutelas morts pour la France.

En attendant le retour de la paix, d'autres jeux me permettaient de prendre patience. Pour gagner notre pain quotidien, ma mère avait quitté sa place de servante dans les châteaux et elle cousait, douze heures par jour, des chemises, des chemises, des chemises. Et aussi des corsets, des corsets, des corsets, y enfilant des buscs d'acier flexibles dont je détournais quelques-uns : je les pliais en deux, je les lâchais, ils bondissaient jusqu'aux nues en sifflant. Par inadvertance, tout en pédalant à sa machine à coudre, et parce qu'elle n'avait guère plus de vingt-cinq ans, il arrivait à ma mère de chanter un moment. Mais soudain elle s'interrompait pour pleurer. Ensuite, elle se mouchait, m'embrassait, reprenait son pédalage et sa chanson.

D'autres fois, elle lavait notre linge dans un grand bac en ciment. Un jour qu'elle s'était bien penchée pour en nettoyer le fond, je crus qu'elle allait disparaître tout entière dans ce bac, je poussai un cri, j'accourus la retenir. Elle en ressortit rouge et souriante. Mais quelle peur j'avais eue !

A chaque instant de ses besognes, elle s'interrompait pour m'ouvrir les bras et, de loin, me tendre ses lèvres allongées. Je dois dire à ma grande confusion que je n'appréciais pas follement les baisers de ma mère, parce que c'étaient des baisers un peu mouillés, qui laissaient sur mes joues une trace de salive que j'essuyais avec ma main. Et toujours il en fut ainsi entre nous. Je n'ai jamais été un enfant-caniche, amateur de caresses. Sans doute en fut-elle souvent peinée.

Mais alors nous vivions heureux, nous suffisant, me semble-t-il, l'un à l'autre. Ce qui explique le refus de fraterniser que j'opposai un jour au soldat américain. Celui-ci s'était assis pour se reposer un moment sur une borne kilométrique plantée à quelques encablures de notre maison. Je passais, tenant ma mère par la main ; elle portait sous l'autre bras un gros paquet de chemises cousues qu'elle allait livrer au marchand drapier de la rue du Bourg. De l'index, l'homme jaune me fit signe d'aller à lui. Sans doute rêvait-il à ses propres *kids* qui l'attendaient de l'autre côté de l'Atlantique, et désirait-il me prendre un moment sur ses genoux, voire me gratifier d'une tablette de sin-sin-gomme. Mais moi, mi-effrayé, mi-dédaigneux, je me réfugiai dans les jupes maternelles et passai mon chemin sans répondre à son invite. Tout le reste de mon existence, j'ai regretté ce geste inamical envers un soldat venu défendre notre sol, envers l'alliance franco-américaine.

Les États-Unis, cependant, ne m'en tinrent point rigueur, puisque je devins en 1918 leur protégé. L'*Office de Répartition des Dons Américains aux Orphelins de Guerre* me fournit en effet une marraine américaine, comme l'atteste cet avis trouvé dans mes archives.

Cher Enfant, nous avons le plaisir de vous annoncer que vous allez recevoir d'un ami américain un don de 180 F payable en quatre mandats trimestriels dont le premier vous arrivera vers le 20 de ce mois. Voici le nom et l'adresse de votre généreux bienfaiteur :

Mrs. J. M. GARDNER
Martin, Tennessee (U.S.A.)

N'oubliez pas de le remercier en lui écrivant au moins chaque fois que vous aurez reçu un mandat (timbre à 0,25 F). C'est le seul moyen de fixer sur vous son affection et d'obtenir, en l'amenant à s'intéresser personnellement à vous, qu'il vous continue ses bienfaits. Dans votre propre intérêt, nous vous conseillons donc instamment de correspondre régulièrement avec votre bienfaiteur. Quand le dernier trimestre aura été payé, la continuation des versements dépend uniquement de lui, qui reste

toujours libre de continuer ou de cesser de vous venir en aide.
THE FATHERLESS CHILDREN OF FRANCE
4, rue Volney-PARIS.

J'ai retrouvé aussi la seule et unique lettre, d'une élégante calligraphie, envoyée par Mrs Gardner le 3 décembre 1918, dont voici la traduction :

Cher petit Jean, je suis très heureuse que vous deveniez mon petit garçon français. J'ai déjà un petit garçon appelé John, qui aura bientôt quatre ans, et je vous envoie sa photo. Pourriez-vous m'en envoyer une de vous-même ? Demandez à votre mère de m'écrire sur vous de façon détaillée. Avez-vous quelque frère ou quelque sœur ? J'espère recevoir bientôt de vos nouvelles. Les Américains aiment beaucoup les Français et quant à moi je vous aime déjà de tout mon cœur. Je vous envoie un colis de Noël en espérant que vous passerez très joyeusement cette fête.

Recevez toute l'affection de votre maman américaine.

Mrs John M. Gardner.

Heureuse époque où les États-Unis se souciaient de la France, connaissaient son nom, son visage, sa situation géographique, historique et humaine. Ce qui n'est plus le cas aujourd'hui. Quant à la pauvre Célestine, j'ignore ce qu'elle put bien comprendre à cette missive rédigée en anglais ; si elle eut l'idée, la possibilité de se la faire traduire, l'audace d'expédier à ma bienfaitrice des accusés de réception remplis de fautes. J'en doute. Le marrainage de Mrs Gardner dut tourner court. Si ma mère avait gardé des relations avec elle, peut-être un jour serais-je allé dans le Tennessee rencontrer John, mon homonyme, et sa famille. Peut-être m'aurait-elle convaincu de choisir pour patrie le Paradis des U.S.A. Peut-être serais-je aujourd'hui cultivateur de soja, journaliste au *Martiner Herald* ou marchand de cacahuètes. De toute façon milliardaire ou en passe de l'être. Célestine en jugea autrement. Possesseur d'une maman auvergnate, je n'avais pas besoin, se dit-elle, d'une maman étrangère. Certaine pièce d'un dollar traîna longtemps parmi nos reliques — autre donation sans doute de ma bienfaitrice — dont personne ne vit jamais l'usage, comme d'un vistemboire d'argent. A force de rouler, elle finit par se perdre. Et plus jamais l'Amérique ne se soucia de moi.

Des hommes, des femmes, des véhicules continuaient de passer sur la nationale. Un jour, une charrette descendit à fond de train, pleine de gens hurlants et gesticulants. Au grand tournant qui naissait un peu plus bas, le cheval emballé n'eut pas l'esprit de prendre la courbe, il continua son galop, la voiture se renversa devant chez M. Méliodon, s'arrêta seulement quand elle fut cul par-dessus tête. Tous les habitants de la Maison Rose se tenaient aux fenêtres. On se précipita vers les blessés avec des pansements et de la teinture d'iode, on les coucha sur l'herbe, on courut chercher le Dr Pourreyron, que je détestais parce qu'il m'avait piqué les fesses avec une seringue. Prudemment, je me tins hors de sa vue et de sa portée. Mais quel spectacle !

Par la même route venait ma Grande des Bonnets, avec son panier noir plein de pommes, d'œufs frais, de chèvretons. Et son chapelet sous son mouchoir. Et ses billets de dix francs dissimulés, que ma mère refusait d'abord avec indignation, puis finissait par accepter très humblement. En échange, elle me prenait, m'emmenait vers mon hameau natal pour quelques jours ou quelques semaines. L'oncle Benoît m'apprenait à pêcher les grenouilles et les écrevisses, à distinguer l'enfer du paradis, à boire de son vin couleur d'airelle. En automne, nous mangions tous ensemble des châtaignes bouillies préparées par la tante Bournillasse :

« Défense de les *bourser !* » recommandait-elle.

Les *bourser* voulait dire les serrer entre les dents de façon que, par la pointe, s'en échappât le contenu, un peu à la manière dont la pâte dentifrice sort de son tube. A ce jeu, une bonne part du comestible demeurait perdue dans la bourse. Il fallait donc peler chaque châtaigne au couteau, ôter les deux peaux avec une sainte patience, les poursuivre dans les circonvolutions ; à moins qu'on ne renonçât à enlever le derme marron pâle et qu'on ne l'engloutît avec la chair blanche, ce qu'acceptaient volontiers les goulus et les impatients. Ils se moquaient même des délicats acharnés sur la seconde peau :

« Quand tu finiras ton souper et que tu te mettras la dernière châtaigne dans le trou qui respire, la première sera déjà arrivée au trou qui ne respire pas ! »

En hiver, ma Grande racontait des histoires épouvantables de fantômes, de louves-garelles, de chasses-rigaudes, de briganderies, qui me donnaient un sommeil empli de cauchemars. L'oncle Benoît nous débitait des contes plus toniques. Ainsi celui de la bague et du héron :

« Le baron d'Aulteribe était coléreux comme un âne rouge et jaloux comme une allumette. Il avait fait présent à sa femme, un certain Jour de l'An, d'un anneau d'or et de pierreries. Bon, ça va bien. Une certaine fois, il part pour la guerre, dans le pays de Gerbalème. Pendant son absence, la baronne veut aller rendre visite à sa belle-sœur, la dame de Thiers. En arrivant à Pont-de-Dore — mais y avait pas de pont en ce temps-là, seulement une barque — elle traverse la rivière dans le bateau du passeur. Comme il faisait chaud, elle remuait sa main dans l'eau pour la rafraîchir. Une fois de l'autre côté, elle s'aperçoit que la bague, un peu large, avait glissé de son doigt. Comment la retrouver ? Bon, ça va bien. Quelque temps plus tard, le baron revient de Gerbalème. Et il se rend compte tout de suite de la bague manquante.

« Madame, qu'il lui fait, qu'est donc devenu l'anneau que je vous avais donné ?

« — Monsieur, je l'ai perdu en traversant la Dore.

« Lui n'en veut rien croire. Il l'accuse d'en avoir

fait don pour régaler quelque galant et, malgré les protestations de la baronne, il la renvoie à sa mère à elle comme un paquet de linge sale. Avec beaucoup de déshonneur. Bon, ça va bien. A quelque temps de là, il était à la chasse sur les bords de la même rivière. Et voilà-t-y pas que d'une flèche il tue un héron ? Le héron, vous savez, c'est un grand oiseau qui se nourrit de poissons, gros ou petits, qu'il attrape avec son bec. Bon, ça va bien. On revient au château d'Aulteribe et il donne le héron à son cuisinier pour qu'il le plume et le prépare. Le cuisinier fait son travail. Et quand il ouvre le ventre de l'oiseau avec son coutelas, devinez un peu ce qu'il trouve dedans ? »

Toute l'assemblée était suspendue au récit. A la question de l'oncle, voyant très bien la liaison entre l'anneau, la rivière, quelque poisson goulu et le héron mangeur de carpes, elle s'écrie unanimement :

« La bague ! »

Mais lui de rectifier, dans son patois tranquille et farceur :

« *Gi do to ! Trobè en jantche polhó de merdo !*[1] »

Ce qui fait hurler de rire tout le monde. Certains en pleurent, d'autres en pètent. Mais quelqu'un demande, pour terminer l'histoire :

« Et la pauvre baronne ?

— Elle est restée chez sa mère, trop contente d'être débarrassée de sa charogne de mari. »

Mon temps terminé, je retournais à la Maison Rose.

1. « Point du tout ! Il trouve un joli tas de merde ! »

J'empruntais moi-même la nationale 89 pour me rendre à l'école du Moutier, y apprendre les *O* à queue et la langue française. Dans mon patelot de chasseur alpin. Accompagné au début par les grandes jambes de M. Méliodon, puis tout seul. Mais à mi-parcours, je me retournais et voyais ma mère qui, debout sur la murette, m'envoyait des baisers à pleines mains. Ainsi encouragé, j'empruntais le raccourci, sautais le ruisseau, avant de retrouver la route ferme remplie d'ornières, de trous de fourmi, de dessins de toutes sortes sur lesquels je me penchais avec curiosité. M. Bargoin nous apprenait non seulement les lettres, mais des chansons et des fables. L'une d'elles commençait ainsi :

Une jeune guenon cueillit une noix
Dans sa coque verte...

Les mots de la langue nationale entraient dans ma tête et y cliquetaient, à mes grandes délices, comme des billes dans un sac. Je m'en vantais à la maison : « *Oneù, é aprengù* bigarré. (Aujourd'hui, j'ai appris *bigarré.*)

— Bigarré ? *Co co i fouére ?* (Qu'est-ce que c'est que ça ?) » demandait la pauvre Célestine ignorante.

Je le lui expliquais de mon mieux, avec mes vocables patois. Quand elle avait compris, elle trouvait aussitôt l'équivalent dans son vocabulaire : *barà, barado.* Et elle enregistrait « bigarré » pour des besoins futurs. Je me faisais son maître d'école, déjà pédant et satisfait de mon savoir.

La fable de Florian disait donc *Dans sa coque verte.* Que j'entendais comme un mot unique : *coqueverte.* Et je songeais en ma tête pleine de cliquetis : « Une *coqueverte,* ça ne veut rien dire, voyons ! Ça n'existe pas ! Doit y avoir quelque erreur. » Aussi, mon tour venu de réciter, me permis-je cette substitution, beaucoup plus compréhensible à mon gré :

Une jeune guenon cueillit une noix
Dans sa coqueluche...

M. Bargoin en ayant donné l'exemple lui-même, mon succès fut immédiat et foudroyant. « Dans sa coqueluche ! Dans sa coqueluche !... » répétaient mes copains, dont les trois quarts entendaient ce mot pour la première fois, mais devinaient qu'il y avait là matière à grande moquerie. Certains, dans les excès de leur hilarité, se roulaient par terre ou se mordaient les sabots. Rouge de honte, je finis par me réfugier dans les larmes. L'instituteur dut intervenir pour me consoler un peu et calmer les ricaneurs. Dès lors, je me méfiai de la langue française et de ses traquenards. Jamais mon auvergnat maternel ne m'eût plongé dans une situation aussi embarrassante.

Les gens sur la route passaient, et le temps passait aussi. Et puis vint à passer François. Lors de notre première rencontre, il était vêtu de kaki : non qu'il fût américain, mais parce qu'il arrivait de Palestine où il avait combattu les Turcs comme un croisé. Dans ce pays lointain, l'horizon n'est point bleu comme chez nous, mais jaune comme les sables. Maintenant, il passait sous notre muraille, assis sur la limonière de sa carriole et faisant claquer son fouet. Ma mère me mettait en observation :

« Si tu vois descendre le cheval de François, appelle-moi vite pour que je vienne lui dire bonjour. »

Ainsi allaient les choses. De loin, je reconnaissais le cheval pommelé, l'homme à la casquette ; je courais avertir qui de droit, le voici ! le voici ! Ma mère abandonnait un moment sa couture et se penchait sur la murette pour saluer du bras. François brandissait son fouet et le faisait claquer très haut. Je ne comprenais pas grand-chose à tous ces saluts et claquements. Mort depuis quatre années, mon père s'estompait dans les brumes de nos mémoires. Seule, ma tante Marie s'acharnait, farouche, à me le rappeler :

« Il ne faut pas oublier ton pauvre père. »

Elle me montrait une photo de lui, disant, pour l'instant je la garde, mais quand tu seras plus grand je te la donnerai. Elle habitait les Salomons, village de pisé et de tuiles rouges, à une heure de marche de Thiers. Village de sages, peut-être, à en croire le nom. Ce qu'il y a de certain, c'est qu'il abrita plusieurs siècles une communauté agricole, avant de devenir un amas de vignerons-couteliers. La maison d'emprunt de ma tante, curieusement barbouillée de vert, sentait le vieux bois, la vieille paille, les vieilles nippes. Elle y vivait en compagnie de son mari, mon oncle Simon, gros homme aux énormes moustaches grises qui, à cause de sa surdité, n'avait pas eu l'honneur de participer au Grand Massacre ; de son chien Trompette ; d'une chatte ; de quatre chèvres. Elle se nourrissait de peu : de soupes, de champignons, de souvenirs. Après chaque traite du soir, elle remplissait de lait caillé des faisselles en forme de cœur qu'elle renversait le lendemain sur une assiette. Le fromage ainsi démoulé exhibait de petits renflements à la place des trous d'écoulement du petit-lait. Ce qui justifiait la devinette : *Qu'est-ce qui porte des tétines sur son dos ?...* Elle plaçait alors tous ses cœurs dans un panier, marchait une bonne lieue pour aller les livrer à ses pratiques : rien que des femmes de notaire, d'avocat, de maître coutelier, toutes plus gourmandes que des chattes blanches, qui l'accueillaient avec des exclamations :

« Oh ! Marie ! Qu'ils sont jolis, vos cœurs ! Et appétissants ! Laissez-m'en quatre.

— Impossible, Madame. Deux seulement. Faut bien que je serve mes autres clientes.

— Alors, la prochaine fois, je m'en réserve quatre. Vous vous en souviendrez ?

— Je ferai de mon mieux. »

Elle repartait avec un peu de monnaie blanche qui lui servait à acheter du pain, marchait les quatre kilomètres du retour, regagnait les Salomons. Le temps chez elle s'écoulait dans une fraîche lenteur. La haute horloge à balancier s'ornait d'une lune à droite et d'un soleil à gauche, leurs rayons entremêlés ; elle avait perdu son aiguille des minutes, il fallait lire l'heure en s'aidant de la seule petite et des sonneries. Un jour, même celle-ci tomba en panne, quoique le mécanisme eût été remonté depuis peu. On découvrit que la chatte avait fait ses petits au fond de la gaîne, à l'abri du soleil et de la lune ; personne n'osa les déranger : nous restâmes dépourvus d'heure jusqu'après le sevrage des chatons.

Quand je quittais les Salomons, ma tante me recommandait :

« Et surtout, n'oublie pas ton pauvre père ! »

Je m'y efforçais. Mais ce père-là devenait de plus en plus abstrait, de plus en plus réduit à ses images de papier. Jamais ma mère ne cherchait à m'en rafraîchir la mémoire. François le charretier, lui, était bien vivant, bien rieur, avec son fouet sur l'épaule. Il m'apporta un marin en carton-pâte, un pistolet à air comprimé dont le manche fonctionnait comme une pompe de bicyclette et faisait exploser une membrane de papier.

Il y eut un jour de grands préparatifs dans la Maison Rose : la machine à coudre Singer besognait jour et nuit. Des voisines assistaient ma mère dans ses essayages. Je ne fus point épargné par cet ouragan d'étoffes, de fils et de boutons : l'on m'affubla de culottes neuves et d'un petit veston cintré. François éclata de rire et dit, tu es beau comme un sous-préfet. Il apportait une coudée de boudin que nous mangeâmes ensemble, tous les trois. J'avalai ma part sans rechigner. Il se trouva qu'en la mastiquant je ressentisse dans l'oreille gauche une petite douleur d'origine inconnue, qui n'avait certainement aucun rapport avec cette nourriture bourrative. Moi, au contraire, je crus en sentir un. Quand on me proposa un supplément :

« Non, dis-je, la main ouverte sur mon assiette. Le boudin me fait mal aux oreilles. »

Le charretier partit d'un grand éclat de rire. Plus jamais de ma vie je ne répétai cette phrase incongrue. Il n'empêche que dix ans, quinze ans plus tard, François continua de m'excuser d'avance à chaque occasion qui se présentait :

« *Bouéla pa tro de gogo a què petchí : lo lhi fey doùre la oùrilha !* » (Ne donnez pas trop de boudin à cet enfant : ça lui donne des souffrances d'oreilles.)

Dix ans, quinze ans je passai pour un imposteur à ses yeux. Pourtant je jure à la face du ciel que, ce jour lointain de 1920 qui précéda le remariage de ma mère, l'oreille gauche me tourmenta réellement. Présage mystérieux, peut-être, de douleurs futures. Cela dit, servez-moi à présent du boudin de toutes manières, aux noix, aux pommes, aux oignons, aux châtaignes, aux patates, servez-m'en le dimanche et la semaine, et je ne demanderai rien d'autre que sur vous les bénédictions du ciel.

Le lendemain de ce malentendu, tout la famille maternelle accourut vers la Maison Rose. Mon grand-père Jacques Chaleron, qui n'avait pu se rendre aux premières noces de sa fille Célestine, vint aux secondes, en compagnie de ma Grande Antoinette. Tous les Évêques dispersés : ma tante de Matussière et son métayer de mari, maigre et ratatiné comme un grillon ; mon oncle François de Sapt, sous son immense chapeau ; mon oncle Jean-Marie, qui avait vaguement voulu, à sa naissance, étouffer sous son berceau cette petite sœur inutile, mais combien de fois depuis s'en était excusé, les larmes aux yeux ; mon oncle Benoît des Bonnets et sa femme Bournillasse. Sans parler du cousinage proche ou lointain. Ce jour-là, mon Grand étrennait une paire de brodequins neufs, ce dont ses orteils, habitués au confort des sabots, avaient beaucoup souffert. Arrivé à mi-parcours entre la Maison Rose et la mairie de Thiers, ayant déjà marché plus que son content, il s'assit sur une pierre et refusa de faire un pas de plus :

« Je vous attends ici. Allez que. Vous me reprendrez au retour. »

Menaces ni supplications ne purent l'ébranler. *Darù*, disait sa femme, *mo en martè de dalho.* Têtu comme un marteau à battre les faux. Par bonheur, une laitière vint à passer, tirée par son âne gris. On fit de la bourrique-stop. Le vieux Jacques consentit à hisser ses os dans la charrette : je vis ses souliers jaunes s'élever à hauteur de mes yeux. C'est dans cet équipage qu'il acheva le voyage.

A dix heures, tout le monde devait se trouver dans la grande salle municipale. Et tout le monde s'y trouva, excepté le futur. L'indispensable François. Chacun l'attendit en se rongeant les poings. De temps en temps, le maire, M. Clouvel, assez farceur, répétait :

« Il aura oublié... il aura oublié... Il se sera trompé de jour... J'ai déjà vu cela... »

Ce qui mettait toute la noce en transes. On suçait des dragées pour faire passer le temps.

Enfin, avec vingt minutes de retard, le fiancé parut. En vêtements de travail, le fouet sur l'épaule. Non point par fierté professionnelle, mais parce que son patron lui avait dit, tu te maries à dix heures, d'accord, je te donne le reste de la journée, mais jusqu'à dix, si tu pars un peu tôt, tu as le temps d'aller chercher à Pont-de-Dore un tombereau de sable et de le livrer. Qui est dessus commande, qui est dessous demande. Il avait donc obéi, s'était levé à cinq heures, avait pansé les six chevaux du maître, puis attelé le sien et roulé jusqu'aux sablières de Pont-Astier en cassant la croûte dans la caisse du véhicule, chargé à la pelle ses deux mètres cube de sable, était remonté vers Thiers, les avait déversés sur le chantier des maçons qui attendaient cette manne la bouche ouverte, avait ramené sa bête à l'écurie :

« Et me voilà ! J'ai pas pu faire plus vite, pétard de Dieu ! »

Il avait coutume de jurer comme un charretier. On le maria quand même, dans ses culottes de velours cotelé, avec ses mains sableuses. Après quoi, il dut y avoir les mangeries habituelles dont je ne me rappelle rien.

La cérémonie eut cette grave conséquence de

placer une tierce personne entre ma mère et moi. Fini notre douce intimité, son pédalage à la machine à coudre, ses bras ouverts, ses lèvres tendues ; d'ailleurs je grandissais et ces jeux, sans doute, ne me convenaient-ils plus. Je ne me souciai jamais cependant que le nouvel arrivé occupât la place de mon père : celui-ci n'avait fait dans ma vie qu'une brève apparition. Comme celle d'un passager dans une auberge. Au surplus, François me traitait bien, me portait quelquefois sur ses épaules, mais jamais ne me prenait sur ses genoux. Je ne lui tirais pas non plus les moustaches. On me recommanda de l'appeler « tonton ». S'il m'arrivait de rencontrer au marché ma tante Marie des Salomons, venue proposer un panier de coulemelles, elle me chuchotait en m'embrassant :

« Surtout, n'oublie pas ton pauvre père. »

Quelques semaines après ces noces, nous quittâmes la route de la Russie pour un nouveau domicile, au cœur du Thiers coutelier : la rue Edgar-Quinet, anciennement rue Chanelle. La pente y était, dans cette ville pentue, spécialement accentuée. Elle aboutissait à un replat, continuait en remontant, s'achevait par une voie caillouteuse portant l'appellation officielle de « rue Edgard-Quinet prolongée », mais plus familièrement cette officieuse : « chez les Cochons », bien que les habillés de soie n'y fussent pas plus nombreux qu'ailleurs. C'était un peu surprenant au début ; puis l'on s'accoutumait à des phrases comme celles-ci : « Nous habitons chez les Cochons. M. le curé est venu ce matin chez les Cochons.

Je cherche ton père, où est-il ? Il est chez les Cochons... »

Au numéro 15, la maison étroite empilait un rez-de-chaussée, mi-cave, mi-atelier à couteaux, et trois étages d'une seule pièce l'un sur l'autre. On y accédait par un escalier de pierre très abrupt, que fermait une porte percée d'un losange. Au premier, la cuisine, où nous mangions aussi, aux murs ornés de cartes postales représentant le boxeur Georges Carpentier. Au second, la chambre des parents. Au troisième, la mienne, juste sous les tuiles, africaine l'été, sibérienne l'hiver ; des pigeons piétaient et roucoulaient en permanence sur ma tête. Les jours de grand vent, la baraque vacillait de ses vergues à ses soutes et ronflait ainsi qu'un navire. Je m'attendais à être emporté une fois ou l'autre comme une paperasse. Au-delà de notre toiture, l'escalier poursuivait son ascension, pénétrait dans le rez-de-chaussée de la maison supérieure, allait déboucher dans la rue de Lyon où je n'avais que quelques pas à faire pour gagner ma nouvelle école. Car, abandonnant M. Bargoin, je fus inscrit à l'établissement le plus proche : l'école Saint-Joseph, tenue par les frères de la doctrine chrétienne. J'y appris beaucoup de prières et les rudiments de lecture qui me manquaient : j'en vins, comme Pantagruel, à réciter ma charte par cœur à l'endroit et à rebours. Ou si l'on veut à lire les yeux fermés les tableaux didactiques pendus à deux clous tout autour de la classe, annonciateurs déjà de la fameuse « méthode globale » aujourd'hui tant discutée :

J'aime Jésus et Jésus m'aime : JA JE JI JO JU.
Purifions notre âme du péché : PA PE PI PO PU.
Dieu est mon père véritable : DA DE DI DO DU.

Avec « le pauvre Jean » et François le charretier, cela m'en faisait trois pour moi tout seul. Car je pris l'habitude, même si chez nous je lui donnais seulement du « tonton », de l'appeler « mon père » quand il m'arrivait de parler de lui à mes copains. Chacun avait le sien, et je trouvai légitime de n'en être pas dépourvu. Je ne manquais pas d'ailleurs de sentiments filiaux à son égard : j'admirais sa force physique, son courage, sa manière de contenir les chevaux en les prenant par le mors, de faire claquer son fouet ; ses récits de guerre, ses blessures, ses médailles et l'adresse qu'il avait eue, lui, de savoir en revenir ; l'énormité de ses poings, de sa voix, de ses moustaches ; ses spacieux pantalons de velours, serrés aux chevilles ; le spectacle qu'il m'offrait chaque matin lorsqu'il s'enroulait dans une large ceinture de flanelle bleue, sa femme tenant l'autre extrémité, avec ça autour du ventre, affirmait-il je peux soulever une montagne. Et il tenait parole : sa fourche emportait dans les airs des montagnes de foin. Bref, je lui aurais ouvert mon cœur tout grand s'il avait fait le nécessaire pour y entrer. Il continue d'y occuper aujourd'hui plus qu'un strapontin, même si le « pauvre Jean » siège à la place royale. Comment comprendre cet homme à qui je dois tant de maux et tant de biens, chez qui se mêlaient toujours la rudesse à la bonté, les caresses verbales aux injures, la générosité à la pingrerie ? « L'enfance nous est donnée comme un chaos brûlant, écrit Michel Tournier, et nous n'avons pas trop de tout le reste de notre vie pour tenter de le mettre en ordre et de nous l'expliquer. »

En attendant, je commençais à confire dans le sirop de la religion catholique. Sans doute n'en étais-je pas encore à envisager une carrière épiscopale, mais j'en approchais peu à peu. Mon maître, M. Robinet, avait pour moi des tendresses spéciales, au demeurant très innocentes, qui m'attachaient à lui et à son enseignement. Sa main parfois caressait ma tête rase, tapotait ma joue, tenait la mienne un peu plus longtemps qu'il ne fallait pour corriger mon écriture. S'était-il entiché de mes yeux, de ma voix, de ma qualité d'orphelin ? N'importe. Il lui arriva de me garder après la classe sous prétexte de m'aider ou de l'aider ; de m'asseoir sur ses genoux ; de dessiner pour moi à la demande l'objet de mon choix : un coq, une étoile, un soldat, un soleil, un nuage, une poire, une fraise.... Et lui de rire à ma stupéfaction ! A mon avidité créatrice ! Car il me suffisait de prononcer le mot « lune », et aussitôt un croissant blanc naissait des noirceurs de l'ardoise. Que la lune soit ! Que le papillon soit ! Que la pâquerette soit ! Miracle ! Miracle ! Peut-être M. Robinet souffrait-il seulement d'un manque de paternité. Un soir qu'il m'avait retenu de la sorte un peu trop longtemps, ma mère m'interrogea avec inquiétude :

« Tu as été puni ?

— Non. Pas du tout.

— Alors, pourquoi arrives-tu si tard ?

— Parce que le maître m'a gardé.
— T'a gardé pourquoi faire ?
— Pour me dessiner des étoiles. »

Sa main partit et en dessina une, d'étoile, et toute rouge, sur ma joue.

« Ça t'apprendra à me passer des mensonges !

— C'est pas un mensonge ! C'est pas un mensonge ! C'est pas un mensonge ! »

Je trépignai, ce qui me valut une étoile sur l'autre joue. Pour l'équilibre.

Mon beau-père, mécréant complet et blasphémateur convaincu, affirmait : « Le diable, c'est quand ma bourse est vide ; le bon Dieu, quand elle est pleine. » Il s'aperçut peu à peu — ce qu'il n'avait pas soupçonné au début — qu'il m'avait inscrit dans une école religieuse et commença de se formaliser des principes que j'y recevais. Il supporta mal mes livres ornés de symboles chrétiens, les messes obligatoires, les images pieuses que je gagnais par ma sagesse. Mais c'est la Fête-Dieu qui fit déborder le vase de sa bile. Avec beaucoup d'autres petits de ma classe, j'avais été choisi pour jeter des pétales de rose sur le parcours de la procession. Je devais endosser une robe pourpre, me couronner de fleurs et me pendre une corbeille au cou. M. Robinet nous confia tous ces accessoires, nous recommandant :

« Essayez-les chez vous. Faites-les ajuster à vos mesures s'il le faut par vos mamans. »

Quand mon beau-père me vit ensoutané de rouge, couronné de blanc, avec sur le ventre mon corbillon bleu pareil à une boîte de facteur, il lança quelques pétards de Dieu bien sentis, jurant qu'il n'accepterait pas ce carnaval dans sa maison et m'ordonnant de rapporter l'accoutrement aux expéditeurs. Ce que je fis vergogneusement, me bornant à remettre sans explication le paquet au portier. Il ne fut plus question, naturellement, de retourner dans la classe de M. Robinet et je fus inscrit, dès la rentrée suivante, à l'école centrale de garçons, derrière l'église Saint-Genès. Quoique laïque, elle était dite thiernoisement « à Clôtras » pour rappeler qu'on l'avait construite sur l'emplacement d'un ancien cloître, celui des Pères du Saint-Sacrement qui y avaient précédemment enseigné, de 1633 à la Révolution. C'est là qu'un jour froid de décembre je devais prendre feu.

Mon nouveau maître, M. Cottier, me séduisit par ses cheveux noirs tirés en arrière, ses yeux légèrement bridés, son menton fendu, sa cravate papillon. Cette élégance de traits et de vêtements contrastait avec mon crâne tondu, mon sarrau noir boutonné dans le dos, comme ceux que devaient porter les fourriéristes dans leurs phalanstères afin d'avoir recours à la solidarité socialiste, mes bas de même couleur retenus par des jarretières élastiques, mes galoches plates. Comme je tombais souvent, les croûtes de mes genoux se collaient à la laine et c'était chaque soir, en me déshabillant, le supplice du décollage. Mon rêve était de rester les genoux à l'air, d'obtenir des chaussettes pendues à des fixe-chaussettes, très à la mode en ce temps-là parmi les élèves de l'école centrale. On me permit les premières, mais, je ne sais pourquoi, pas les seconds. Parfois, au lieu de galoches, je traînais des souliers à semelles de bois. Vers l'âge de neuf ans, j'eus des brodequins tout cuir. Mes condisciples, fils de pauvres, ou d'anciens pauvres qui n'osaient faire montre d'une modeste aisance acquise à force de travail, étaient à peu près ficelés comme moi. L'un d'eux portait même un canotier en toutes saisons, parfaitement ridicule les jours de brouillard, ce qui lui avait valu le surnom de *Canote*. Aussi n'avais-je guère à rougir de ma tenue. Il n'empêche que l'arrivée de M. Cottier, impeccable dans son costume à rayures, strictement peigné, rasé, poudré, nous laissait bouche bée d'admiration. De plus, il portait le nom d'un prophète : Élie. J'étais seul à le savoir, encore tout imbibé de doctrine chrétienne : un tableau le représentait chez les frères, enlevé sur un char de feu. A vrai dire, je me représentais mal ce qu'était un prophète et en quoi consistaient ses fonctions. Je pensais du moins qu'il s'agissait d'un personnage important et, à coup sûr, d'un ami de Dieu. Or Élie descendit un matin de son char pour m'en apporter la démonstration et me sauver de l'incendie.

La salle possédait un poêle de fonte, rempli en hiver de charbon jusqu'à la gueule. Un jour qu'il gelait à pierres fendre, je raccourcis la récréation et retournai dans la classe clandestinement pour m'y réchauffer. Comme je me tenais un peu trop près des flancs rouges du poêle, mon sarrau prit soudain feu. Ne sachant que faire en cette circonstance inédite, je demeurai sans réaction, me contentant de regarder en pleurant les courtes flammes qui grignotaient l'étoffe et montaient vers mon ventre, sans que mes larmes suffissent à les éteindre. C'est alors qu'Élie rentra, précédant le reste de la troupe. Il me vit en train de me consumer, se précipita sur moi, étouffa entre ses mains le feu qui risquait de me réduire en cendres prématurées. De ce jour, je sus que j'étais particulièrement inflammable, et je nourris à l'égard de mon sauveur une reconnaissance inextinguible.

Des photographes ambulants paraissaient de temps en temps dans les écoles et fixaient nos visages pour la postérité. L'un d'eux nous transforma même en aviateurs, comme l'atteste la photo de couverture. On m'y voit aux commandes d'un aéroplane peint sur toile, tenant fièrement le « volant » de mon appareil : un « manche à balai » eût été peu identifiable. L'artisan avait eu la charité de remplacer ma casquette habituelle par un béret basque, enfoncé jusqu'aux oreilles pour bien dissimuler la tonsure intégrale qui, décoiffé, me donnait un air de moinillon. C'est que, en ce temps-là, les poux infestaient les écoles et les plus honorables familles. Tandis que je m'appliquais à mes écritures, il en tombait un parfois sur mon cahier du jour ; je le saisissais entre deux doigts, l'aplatissais de l'ongle sur le bois du pupitre. Si l'*index* s'appelle ainsi, me disais-je, parce qu'il *indique*, l'*auriculaire* parce qu'il gratte l'*oreille*, le *pouce* doit son nom à son aptitude à écraser les *poux*. Parfois, ma mère m'obligeait à poser sur ses genoux mon « front plein de rouges tourmentes » et farfouillait dans ma tignasse. Heureux de cette posture bénie qui nous rendait un moment notre intimité de la Maison Rose, j'essayais de la prolonger, disant, j'en sens encore un, encore un, encore un. Ensuite, elle jugea hygiénique de me faire tondre à double zéro : le gibier est plus facile à débusquer en terrain lisse qu'en terrain broussailleux.

Quoique élève de l'école sans Dieu, je ne rompis pas entièrement avec le ciel. Ma Grande des Bonnets se chargeait d'ailleurs de faire mon catéchisme à sa façon, chaque fois que je lui étais confié. Elle avait sur son lit un petit bénitier de porcelaine, cloué au mur, où je devais avant de m'endormir tremper l'index. Je me signais et nous récitions ensemble une prière auvergnate qu'elle tenait sans doute de sa grand-mère à elle :

« *Djin mon ley me sé cuchà. Catre angelù lhi é trobà. Dou de vé lu pè, dou de vé lo této. M'on dji de pè vi pou ; de prenhì le boun Djeu po mon pouére, lo bouno Vierjo po mo mouére, sin Jan Botiste po mon frére, sinto Marte po mo so. Catre angelù ducë è fuò, que me gardoron o l'oro de mo mo.* [1] »

Le dimanche, elle m'emmenait à la messe d'Escoutoux et me demandait, au retour, de lui traduire en patois le sermon du curé. Chose très difficile à faire, parce que les mots me manquaient. Et surtout parce que j'avais somnolé la moitié du temps. Alors, pour me tirer d'affaire, je finis par inventer :

1. Dans mon lit, me suis couché. Quatre angelots y ai trouvés. Deux aux pieds, deux à la tête. Ils m'ont dit de ne pas avoir peur ; de prendre le bon Dieu pour mon père, la bonne Vierge pour ma mère, saint Jean-Baptiste pour mon frère, sainte Marthe pour ma sœur. Quatre angelots doux et forts, qui me garderont à l'heure de ma mort.

« Il a parlé des lézards.

— Des lézards ?

— Oui. Et aussi des alouettes.

— Qu'est-ce qu'il a bien pu dire des alouettes ?

— Qu'elles montent très haut dans le ciel.

— Ah ! j'ai compris ! Comme le Saint-Esprit ! Les alouettes sont l'image du Saint-Esprit. C'est sûrement ça. Et les lézards ?

— Les lézards... heu... se glissent dans les pierres...

— Comme les mauvaises pensées dans notre conscience. Le lézard, hein, est l'image du péché ?

— C'est bien ce que j'ai compris... »

Ainsi, à nous deux, nous reconstituions des sermons possibles. Mais ma dévotion envers la Bonne Vierge était bien réelle. Du lit de ma Grande, je lui demandais tout ce qui me faisait manque ou envie : un couteau, un petit frère ou une petite sœur, des fixe-chaussettes, beaucoup de cerises, et le Paradis à la fin de mes jours.

Or la Bonne Vierge m'entendit : c'est vers ce temps-là que tomba dans notre maison la petite sœur désirée. Mon beau-père était en train de décharger, en gare de Thiers, un wagon de boulets de Brassac lorsque sa pelle rencontra une chose enveloppée. Il se baisse, constate qu'il s'agit d'un bébé féminin, l'enveloppe dans sa veste et l'emporte rue Edgar-Quinet. Telle fut du moins la version qu'on me fournit pour expliquer sa venue. On me montra la veste pendue à un clou, encore noire de charbon, l'enfant dans ses langes, et je ne doutai pas un instant de la véracité du récit. Par une fâcheuse coïncidence, ma mère se trouvait alors alitée, suite à un coup de froid ; ce qui ne l'empêchait pas de recevoir le bébé dans son lit et de lui donner le sein. Je trouvai la petite sœur à mon goût, quoiqu'elle eût constamment de l'écume aux lèvres et me parût baver comme une limace.

A cette époque, les petits frères et petites sœurs arrivaient dans les foyers par des moyens toujours bizarres. Les uns par voie fluviale, flottant sur la Durolle dans leur moïse. D'autres par la poste, dans la sacoche du facteur. D'autres provenaient directement du ciel, apportés par un saint ou une sainte qui les déposait dans le grenier, dans la remise ou dans la cave, sans avertir. Quelle surprise c'était ! Mais la plupart des parents se ravitaillaient en bébés dans le commerce. Il existait des magasins qui vendaient cette sorte de marchandise ; mais Thiers n'en possédait point : on devait aller se servir à Vichy. Ces boutiques étaient d'ailleurs mal approvisionnées, on y trouvait rarement ce qu'on souhaitait acheter : parti pour acquérir une fille, on revenait avec un garçon. Ou vice versa. C'était donc un grand bienfait de la Bonne Vierge que le nôtre nous eût été envoyé gratis dans un wagon de boulets. Il fut prénommé Marthe et devint très vite le centre du monde.

Il faut dire qu'entre-temps mon beau-père avait quitté sa place de charretier salarié pour devenir son

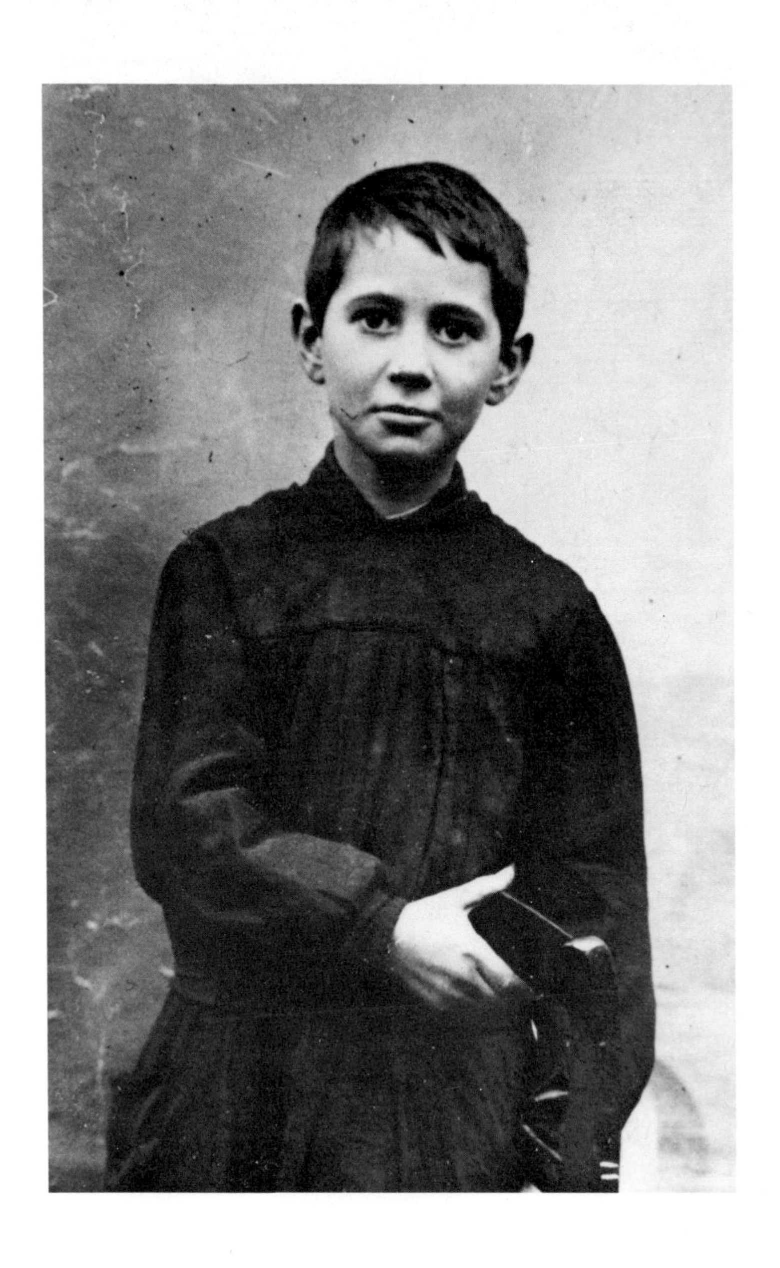

Jean Pétaret en sarrau d'écolier.

Le maître-coutelier entouré de son personnel.

*Les émouleurs-*ventres jaunes *couchés sur leur planche.*

L'instrument de musique caractéristique de l'orchestre thiernois : le marteau-pilon.

Ma mère à 17 ans.

Mon père à 21 ans.

10
10

Ma mère, ma grand-mère Antoinette et moi.

L'oncle Claude au 10e Chasseurs de Saint-Dié.
(ci-contre)

Mon père lors de sa dernière permission.

Mon père peu avant sa mort, au centre, les bras croisés.

Mes oncles jumeaux : Pierre (à gauche) et Annet.

La Gare de Thiers.

Thiers le 25 octobre 1916

CARTE POSTALE

Chers papa

c'est moi ton grand garsan qui
te fait c'ette carte pour te dire
que je panse toujours a toi j'ai
rêvé a toi vien vite et porte
moi mon tambour je t'aimerait bien
et je t'en brasserai deux fois et reçoi cher
papa de ton fils les mailleur baiser
afectueuse Jean Anglade

La carte du miracle.

Ma mère, moi, Madame Provenchère.

Marron, le cheval et ma mère.

La Place Porte-Neuve
Thiers
R. & J. D. 10961, 12

Preuves de l'auvergnacité de Thiers : les chars du charbon de bois...

L'Hirondelle, Paris
264 THIERS (Puy-de-Dôme) Place du Marché et les Remparts

... Les costumes, les bonnets, les moustaches.

La laitière, le pot au lait, le petit âne gris.

AUVERGNE
254. THIERS — L'Hôtel des Postes et la Rue Nationale - G. d'O.
AU BIEN VETU
NOUVEAUTÉS

Les vendanges, période bénie.

La Caisse d'épargne : maison peu fréquentée par l'ouvrier coutelier.
(Lire si l'on veut Le Voleur de coloquintes*).*

Ma tante Mathilde à la fin de sa vie.
(Une pomme oubliée.)

propre maître. Grâce à des emprunts et des crédits, nous possédions à présent trois chevaux et un âne, et jouissions en tant que locataires d'un négoce de bois et de charbons sis 28 rue Conchette, que nous appelions entre nous « le dépôt ». Ce qui n'empêchait pas les charrois divers, transports, déménagements, pelletages de sables et de graviers, auxquels je participais selon mes forces. Nous eûmes même un, puis deux commis. Puis, trois, puis quatre. Les chevaux étaient alors à Thiers les maîtres du pavé, à cause des rues étroites, sinueuses, escarpées, peu favorables à l'emploi des camions automobiles. A la satisfaction de tous, ils allaient chercher le vin de Limagne, la chaux de Joze, les tuiles de Ravel, les parpaings de Puy-Guillaume. Ils traînaient les corbillards avec la dignité voulue. Le soir, on allumait la bougie des lanternes ou du lampion chinois qui se balançait entre les roues arrière de la charrette. J'aimais bien la compagnie de nos percherons. J'entrais dans leur écurie et les regardais dormir debout. Je caressais leur poil lisse et frissonnant ; je prenais dans ma main leur menton mou qui s'agitait, comme s'ils eussent voulu me parler. La médecine qu'on appliquait aux chevaux était exactement celle que Thomas Diafoirus infligeait aux hommes : purges, saignées, lavements. On m'envoyait acheter un kilo de sulfate de soude chez Linossier, rue Nationale. Sa boutique, plus parfumée encore que celle du *Zanzibar*, était remplie d'odeurs volcaniques, exotiques, forestières. Il puisait ses poudres dans des sacs de jute à l'aide d'une pelle creuse ; il atteignait le poids exact en les faisant pleuvoir d'un index rigoureux. Son métier le nourrissait bien, à en juger par l'embonpoint qui gonflait sa blouse grise. Il me donna l'envie d'être un jour, si je ne pouvais atteindre l'épiscopat, *inossier* à mon tour. Car je prenais son patronyme pour le nom de sa profession ; je pensais *l'inossier*, comme je pensais *l'épicier*. Nos chevaux recevaient une nourriture trop échauffante, trop riche en avoine, et souffraient fréquemment de coliques. Dans ce cas, j'étais chargé de promener le quadrupède par le licou le long de la rue Edgar-Quinet, inlassablement. Sur ma main, je sentais son souffle humide et fiévreux. Mes copains me regardaient avec admiration ; mais pour cacher leur dépit ils criaient :

« Voyez donc ! La petite bête qui en promène une grosse ! »

Bête je suis resté.

Parmi mes autres attributions, j'avais celle de coltiner chaque matin la petite Marthe jusqu'à la crêche tenue par les bonnes religieuses de Nevers et d'aller la récupérer chaque soir. Elle m'accueillait par de grandes marques d'amitié, s'accrochait à mon cou et nous oubliâmes très vite que nous n'étions que des demi-parents, pour nous sentir frère et sœur au complet.

Un cliché me montre vers cette époque, coiffé d'un chapeau de coutil fièrement relevé par derrière, une main dans la poche, l'autre tenant gravement une pelle à sable en forme de cœur, les chaussettes sur les chevilles. Tel qu'on m'employait sur les rives de la Dore. A gauche, ma mère haute et maigre (Dieu qu'elle me paraissait grande en ce temps-là !), toute rieuse d'avoir osé empoigner devant le photographe une pelle à charbon. Car elle aussi n'hésitait pas à mettre la main à la pelle. Plus à gauche encore, les sacs de charbon en fibre de sisal que j'aidais à remplir, à peser sur la bascule, à charger sur les camions de livraison, au commandement *hôôô-hop !* Et aussi des fagots de croûtes, liés au fil de fer, pour allumer le feu dans les poêles et les cuisinières. A l'autre bout, Mme Provenchère, réjouie sous son « bonnet bergère » et dans ses galoches vernies. Une de mes joies d'alors était de rendre visite à sa boutique, contiguë au « dépôt », remplie de sabots suspendus, odorants de teintures et de résines ; de voir M. Provenchère manœuvrer sur son établi la longue lame du paroir, ou l'herminette courbe, ou les manches des gouges, des cuillères d'acier aux lèvres coupantes, tandis que les copeaux pleuvaient autour de lui. Dans tout bloc de marbre se trouve une Vénus ; dans toute bûche de hêtre une paire de sabots ; il y faut seulement la main qui sache les en tirer.

De l'autre côté de la rue, invisible sur la photo, se tenait l'épicerie-buvette du *Zanzibar.* La marchande, Mme Vedel, m'y invitait souvent pour l'aider à disposer sur ses rayons les innombrables paquets de café, chicorée, sucre, cacao, qu'elle recevait dans de grandes caisses chaque lundi. Je me trouvais là au royaume des épices où tout sentait bon. A la fin, venait ma récompense : Mme Vedel m'abandonnait les poudres tombées des paquets au fond des caisses, toutes espèces et couleurs confondues, cannelle, poivre, vanille, gingembre, que je recueillais dans un sachet et dont je faisais ensuite mes délices, par petites pincées.

A mesure que je grandissais, mes obligations se faisaient plus pesantes. Le charbon devenait ma principale activité des jours sans école : je le pelletais, je le chargeais, je le livrais à la clientèle. A treize ans, parfait petit bougnat de province, je montais aux étages les sacs de cinquante kilos, plus lourds que moi. Mais je n'étais pas seul dans mes livraisons : elles s'opéraient avec l'aide d'un âne et de Saïd, un Algérien de Sétif qui, après avoir combattu au cours du Grand Massacre, en ayant réchappé, gagnait son pain quotidien aux besognes les plus salissantes. Il me révéla l'existence de cette Algérie lointaine où les gens se nourrissent exclusivement de dattes, de figues et d'oranges. Un pays de Cocagne. Nos instituteurs laïques, socialistes et républicains le confirmaient : L'Algérie est le plus beau fleuron de notre Empire colonial. Sur le planisphère, nous en admirions la coloration rouge pâle, l'étendue, la variété, les formes harmonieuses. Le monde avait été fait pour que ces territoires appartinssent à la France, avec leurs produits, leurs animaux, leurs habitants — comme le melon pour être coupé en tranches. Je me sentais une âme impériale et coloniale.

Il me paraissait donc naturel que des quatre commis dont disposait mon beau-père, Saïd fût le plus mal payé. Bien qu'il fît des tâches plus rudes que les leurs, ses camarades français acceptaient volontiers cette différence de traitement :

« Il n'a pas les mêmes besoins que nous ! Il boit pas de vin ! Il fume pas ! Il mange pas de cochon ! Les mêmes habits lui font le dimanche et la semaine ! Et puis on ne va pas donner la même quantité d'avoine à un cheval et à un bourricot ! »

Effectivement, tandis qu'eux à neuf heures se tapaient le saucisson, le fromage et le litre de rouge, lui mangeait du pain sec, une rave crue et buvait de l'eau. Fallait-il qu'il fût sauvage ! Il allait vêtu de guenilles qu'il raccommodait à gros points de ficelle, éprouvant comme Rutebœuf « froid au cul quand bise vente ». En ces temps révolus, il paraissait naturel à tous qu'un ouvrier algérien montrât ses fesses et ses genoux. L'opinion publique eût été surprise, peut-être choquée, qu'il en fût autrement. Thiers comptait déjà, dans les années 25-30, une nombreuse population maghrébine. Des Sidis, des Crouïas, comme on disait alors, termes qu'ils admettaient puisqu'ils signifient « seigneurs » et « frères ». On n'avait pas encore inventé Bicot, Bic, Raton, Bougnoule... On racontait sur leur compte des choses étranges : chacun possédait au pays deux ou trois moukères et au moins une douzaine de *moutchatchous* ; on se demandait comment ils faisaient pour les distinguer les uns des autres, d'autant plus qu'ils s'appelaient tous Mohamed et ne portaient aucun nom de famille. Leurs filles se mariaient à l'âge de douze ans. La plupart ne savaient pas leur âge précis. Entre eux éclataient souvent des bagarres au rasoir et au couteau. Ils se poignardaient, se tranchaient la gorge, se mettaient les tripes au soleil pour des motifs mystérieux : ivrognerie, vendetta, rancunes. Ils ne s'en prenaient jamais aux Thiernois de souche, sauf en cas de provocation. Mais leur seule présence inquiétait. Dans la rue, je les regardais, hâves, le visage varioleux, méprisés et redoutés de tous.

Saïd était une exception. Non seulement il ne me faisait point peur, mais il m'inspirait de l'amitié. Avec ses grosses pattes molles, ses dents éclatantes, son derrière avachi, il me semblait bien incapable d'assassiner qui que ce fût. Il craignait en outre horriblement les chatouilles : en lui grattant les côtes, n'importe quel adversaire eût été en mesure de le faire se rouler par terre, hurlant et bavant comme ceux qui tombent du haut mal. Il suffisait même de faire à distance le geste de le palper. Je criais : « Saïd ! », je pétrissais l'air de mes mains et aussi sec il entrait en convulsions. Ce pouvoir que j'avais sur sa personne m'amusait, non sans m'effrayer quelque peu. Je jouais avec lui comme avec quelque gros chien pataud. Il lui arrivait, à lui le dernier commis, de me glisser à moi, le fils du patron, quelque pièce de cinq sous pour acheter du sucre noir. Complètement analphabète, il lisait cependant les chiffres que nous appelons arabes.

« Où as-tu appris ?

— Je sis pas... comme ça... tout sol.

— A l'école ?

— Jamais alli à l'icole. »

Il me donna mes premières leçons de langue étrangère en m'apprenant les noms arabes du pain, de l'eau, du travail, du chat, du chien. Les autres commis, eux, par dérision, s'efforçaient de lui apprendre le goût du vin et du cochon. Au fond, sa sobriété les humiliait. Ils usèrent de toutes sortes de stratagèmes, jusqu'à remplir de mousseux blanc une bouteille à bouchon automatique : « Un peu de limonade, Saïd ? » Il accepta de cette boisson pétillante et incolore, la but, la trouva bonne, en reprit. Alors, rigolant comme des crocodiles, ils lui révélèrent qu'il avait bu du *chraps*. Et lui, incrédule :

« *Chraps*, ça ?

— Oui, oui ! *Chraps !* Champagne !

— Non, non, pas *chraps !* »

Pour le convaincre, il fallut lui montrer la bouteille d'origine. Alors, fou de rage, il se jeta sur eux en les insultant, eux et leur ascendance jusqu'à la troisième génération. Ils le chatouillèrent sous les bras, l'obligèrent à se rouler par terre. Je n'assistai pas à la scène, mais elle me fut contée dans tous ses détails. Jamais les commis ne s'étaient tant amusés. « Encore un infidèle, devaient-ils se dire, converti au christianisme. » Une photo hors-texte montre, sur le siège de son camion, l'un de ces vaillants convertisseurs. (Je le vis quelques mois plus tard en proie au *delirium tremens*, poursuivre à coups de soulier dans sa chambre les crapauds et les chauves-souris qui, disait-il, grimpaient aux murs.) Ma mère, qui a pris quelque épaisseur, se tient debout près de la voiture, en tenue de travail. Le dimanche, elle portait une robe à boutons de corail, un chapeau de paille orné de cerises artificielles qui lui dura bien vingt-cinq ans, et se frottait le visage de crème Tokalon. A l'arrière-plan, on distingue le « dépôt » et la boutique de M. Provenchère, avec le sabot de l'enseigne.

Beaucoup de mes clients négligeaient de me payer comptant lorsque, en même temps que la marchandise, je leur présentais la facture. Une autre de mes tâches consistait à faire l'encaisseur, à rendre visite à ces payeurs de mauvaise volonté. J'arpentais donc la ville en tous sens, de Pierre-Plate au Moutier, du Pontel à la Vidalie, avec mon seul boursicot pour bagage, sans protection d'aucune sorte, sans armure, sans garde du corps, sans bicorne. Et aucun gangster ne m'attaqua jamais. Comment les voleurs auraient-ils soupçonné que Jean Pétaret portait quelquefois des cents et des mille dans les poches de son sarrau noir ? La clientèle la plus redoutée était celle des Algériens, particulièrement nombreux impasse du 29-juillet, où fonctionnait leur cantine. Ma mère avait une frousse épouvantable des Sidis :

« Si c'est moi qui vais leur réclamer ce qu'ils me doivent, ils vont m'assassiner, pour sûr ! Me couper la gorge comme à un poulet. C'est dans leurs habitudes. A toi, ils te feront rien.

— Pourquoi ?

— Parce que t'es trop petit. Est-ce que tu voudrais qu'ils me coupent la gorge ?

— Oh ! non ! »

Alors, elle m'envoyait à sa place. Protégé par ma

petitesse, poulet trop chétif, je m'aventurais au fond de l'impasse. Dès la première marche de l'escalier, j'entendais au premier étage les vociférations de la cantine. Mort de peur, j'osais quand même monter, me cramponnant à la corde grasse qui servait de rampe. Mon entrée dans la salle ne faisait taire personne : les joueurs de cartes, les joueurs de dominos poursuivaient leur tapage, les coudes sur les tables, le couteau planté dans le bois à portée de leur poing. Seul le tenancier me remarquait, il sortait de sa cuisine pleine de couscous, hirsute, essuyant ses mains à son tablier multicolore.

« Qu'i-ce ti vo ? »

Muettement, comme pour m'en excuser, je lui ouvrais sous le nez mon papier rose.

«Qu'i-ce qui c'i que ça ? Je si pas lire.

— La facture du charbon, siouplaît.

— Combien ?

— Tant. »

Il se grattait la tête ; la salle derrière mon dos continuait ses ouah, ouah, ouah furibonds. Ayant longuement supputé, le paiement de la note ne paraissait pas urgent au cantinier qui me la rendait :

« Ti diras à ta patronne que je passeri un de ci jors rue Conchitte. Pour le moment, j'i pas de flouss. »

Comme je me préparais à repartir, il me retenait, rentrait dans sa cuisine, revenait avec une orange :

« C'i por toi. »

Je la prenais, remerciais humblement, me sauvais, dégringolais les marches quatre à quatre, heureux de n'avoir pas été saigné, serrant l'orange contre mon cœur.

Normalement, la première orange de l'année m'arrivait vers la mi-décembre, à l'occasion de l'arbre de Noël réservé aux « pupilles de la Nation ». Ce jour-là, les orphelins de guerre recevaient une orange, un sachet de papillotes explosives et un jouet de quatre sous en bois ou en carton. La seconde, je la trouvais dans mes sabots le matin du 25 décembre, en compagnie d'une poignée de noix et d'un Jésus en sucre. Il n'y avait pas de troisième. Comment donc aurais-je osé consommer seul et sans raison valable une orange en surnombre ? Je rapportais le précieux fruit au « dépôt » ; ma mère le partageait équitablement entre ma sœur et moi, prélevant au passage une seule tranchette en guise d'honoraires.

Mes bons maîtres.

La guerre à peine finie, je sus très tôt qu'il s'en préparait une seconde à laquelle, probablement, je serais un jour convié. La presse le proclamait, les murs l'annonçaient en lettres de feu : L'ALLEMAGNE REFUSE DE PAYER ! L'ALLEMAGNE PAIERA ! OCCUPATION DE TOUTE LA RHÉNANIE ! Le cinéma jouait VERDUN VISION D'HISTOIRE. Mon beau-père racontait par bribes ses campagnes, l'Argonne, les Dardanelles, la Serbie, la Palestine. Mes instituteurs portaient dans leur chair les marques des leurs : à l'un manquait un doigt, à l'autre un œil, au troisième une jambe. Bref, le Grand Massacre n'était ni oublié, ni terminé.

Ces éclopés remplissaient néanmoins leur rôle pédagogique intégralement, vigoureusement. Tel d'entre eux jouait facilement, avec les quatre doigts de sa main droite, du cornet à pistons qui n'en exige que trois ; et ses giroflées incomplètes s'imprimaient avec netteté sur nos joues quand le besoin s'en faisait sentir. En lisant *Toinou* d'Antoine Sylvère, j'ai appris que les punitions corporelles sévissaient chez les Sœurs Blanches d'Ambert aussi bien que chez les frères noirs, et qu'il fallait s'en indigner. Ma foi, je dois à la vérité de dire que les calottes, les coups de règle, la botte dans le train avaient cours également à la laïque. En montant de classe, chacun savait, par les prédécesseurs, de quelle façon il serait traité par son nouveau maître. L'un se servait d'une longue gaule qui, sans dérangement, allait chercher le coupable jusqu'aux derniers rangs. L'autre recourait à la fessée, administrée non point à main nue, ce qui risquait de lui faire mal, mais au moyen d'une règle de fer qu'il appelait « Rosalie » : nom rapporté des tranchées, que les soldats donnaient à leur baïonnette. Son langage était encore tout militaire ; avant de passer à l'exécution, il ordonnait à la victime : « Pointez canon ! » Elle se courbait docilement, fourrait sa tête entre les genoux de l'exécuteur. Ainsi supportions-nous indirectement certaines séquelles de la Grande Guerre. Il était d'ailleurs de bon ton de ne pas crier, de se relever le visage pourpre, mais peint d'un sourire crispé qui laissait entendre : « Il ne m'a pas fait mal. »

Excepté sur le moment, aucun écolier ne se plaignait de ces supplices, car les mères, les pères ne se montraient pas plus tendres ; on pensait alors que toute bonne éducation doit s'accompagner de coups, pourvu qu'ils soient distribués, non par haine, mais par amour. Nous savions qu'à dix-huit ans le roi Louis XIII était encore fouetté par ses précepteurs. Nul n'avait surtout l'idée de se plaindre à la famille, sous peine de s'entendre répliquer :

« Le maître t'a donné une gifle ? C'est que tu

l'avais méritée. Tiens, en voici une seconde pour faire bonne mesure. »

Un troisième instituteur, pendant les dictées, contrôlant par-dessus notre épaule ce que nous étions en train d'écrire, nous signalait chacune de nos fautes sans mot dire en nous sonnant le sommet du crâne avec les jointures de son poing. C'est par ce moyen que j'appris la forme exacte du mot *feu*. Un soir, en revenant de classe, j'avais trouvé ce billet de ma mère sur la table : *Ta soupe est sur le feut*. Or quelques jours plus tard, j'eus à écrire sous la dictée cette phrase de Victor Hugo : *Il se hâta de s'approcher du feu de joie qui brûlait magnifiquement au milieu de la place*. Je mis un *t* à *feu*, ce qui me valut les jointures du maître sur le cassis et la connaissance définitive de ce précieux vocable. En même temps, je sus que je ne devais point me fier à l'orthographe de ma mère.

M. Laval, originaire de Limons, non loin de Châteldon, aux confins de l'Auvergne et du Bourbonnais, de cette terre où les Laval pullulent, m'enseigna par la même méthode la discrétion. Cette qualité qui nous impose de respecter les secrets d'autrui et qui n'est point, assure La Fontaine, le fort de notre race :

Discrétion française
Est chose outre nature et de trop grand effort.

Un montreur de lanterne magique s'était annoncé. Il allait d'école en école et projetait ses plaques en noir et blanc qui nous faisaient voyager à travers le monde et les étoiles, du Brésil à la Chine, de la Lune à Saturne.

« Vous serez rassemblés dans la grande salle du cours complémentaire, nous avertit M. Laval. Il vous en coûtera cinquante centimes à chacun. Dix sous que vous demanderez à vos parents, que vous me donnerez pour que je les remette à cet homme qui gagne sa vie avec sa lanterne magique. N'oubliez pas : cinquante centimes, dix sous. »

J'en pris bonne note. Là-dessus, ayant promené sur le troupeau son regard tutélaire, M. Laval fait signe à mon voisin de table, un nommé Deprince, qui, malgré son patronyme glorieux, semblait le plus misérable d'entre nous, avec ses bas troués, ses galoches éculées et les croûtes de son front. L'instituteur l'entraîne dans le couloir pour un entretien hors de nos oreilles. Soixante ans après, je n'ai pas de mal à imaginer leurs propos :

« Est-ce que tu auras les dix sous nécessaires ? dut demander l'instituteur.

— Pas sûr, M'sieur.

— Ça ne fait rien. Je les donnerai à ta place. Tu assisteras quand même à la séance. D'accord ?

— D'accord, M'sieur.

— On dit merci.

— Merci, M'sieur. »

Sur le moment, je fus surtout intrigué par cet aparté insolite. J'avais alors des yeux et des oreilles qui se fourraient partout. Grâce au ciel. Sans cela, qu'en eût-il été de ma carrière d'écrivain ? Qui ne voit rien, qui n'entend rien n'a rien à dire. Deprince rentre ensuite dans la classe, tous les regards sont sur lui ; il regagne sa place à mes côtés. Et moi, sans plus attendre, mais au nom de tous, de lui chuchoter :

« Qu'est-ce qu'il t'a dit ?

— Viens avec moi, je vais te le dire » intervient M. Laval.

Il m'emmène à mon tour dans le couloir. Et voici sa réponse : une gifle franche et nette, accompagnée de ces paroles :

« Petit curieux ! »

Je rentre à mon tour, une joue blanche, une joue vermillon, comme les pommes de Rouviau, avec un sourire aussi fiérot que possible, qui laisse supposer les confidences reçues.

Certains maîtres, d'un tempérament plus délicat, répugnaient à la méthode forte et usaient d'autres punitions. Notamment celle des lignes à copier. N'importe lesquelles : Jean Aicard, André Theuriet, Jules Payot, Pierre Loti, auteurs alors répandus.

« Untel, dix lignes pour bavardage :

— Mais Monsieur, je...

— Vingt-lignes !

— Ce n'est pas moi, c'est...

— Quarante lignes !... »

Et ainsi de suite, en progression géométrique perpétuelle. A choisir entre cent lignes fastidieuses et un revigorant coup de pied au cul, nous préférions le second qui n'est que l'affaire d'un instant. Mais si la copie m'était imposée, je faisais toujours au maître la surprise de la payer rubis sur l'ongle. Je tenais en effet dans mon cartable une sorte de portefeuille fait d'une ancienne boîte à sucre aplatie ; au lieu de billets de banque, j'en tirais des pages noircies de lignes que j'avais écrites de façon anticipée. Il y en avait de 10, de 20, de 50. Au moyen de cette monnaie fiduciaire, j'achetais même à mes copains une tablette de sin-sin-gomme, du sucre noir, un reste de racine de réglisse devenu pinceau à force de mâchouillages.

Mais la punition la plus redoutée, le châtiment suprême appliqué seulement aux fautes d'une gravité exceptionnelle, était le « pain sec ». Quand un maître avait décrété, demain, Untel, au pain sec !, le fautif devait d'abord en avertir sa famille et lui fournir les explications nécessaires ; se présenter ensuite le lendemain pourvu d'une tranche de pain sans compagnage. Tandis qu'à onze heures les autres écoliers regagnaient leur demeure, s'y régalaient de choux, de raves, de saucisson ; revenaient ensuite un peu avant treize heures bien nourris, bien abreuvés, bien mouchés, les condamnés vivaient cet intervalle dans la classe du cours complémentaire, assis au bord de l'estrade, essayant d'avaler leur pain jamais tout à fait sec puisqu'ils le mouillaient de leurs larmes. De temps en temps, le directeur de l'école centrale en personne, M. Greliche (surnommé « Boto » parce qu'il avait coutume de répondre, quand on lui débitait des fadaises : « Boto, boto, boto, boto ! »), le directeur passait la tête dans une porte pour surveiller les coupables à leur banc d'infamie, et demander ironiquement :

« L'appétit va bien ? »

Si l'un d'eux osait gémir :

« Monsieur, j'avais rien fait ! J'ai pas mérité...

— Boto, boto, boto, boto ! »

Personnellement, je n'ai jamais eu à manger le pain de la honte, dont la seule idée me fait passer encore un frisson dans les moelles. Au prix de telles mesures, nos maîtres nous enseignaient la discipline qui est, non seulement la force principale des armées, mais la garantie du bon fonctionnement de toute société civile ; le respect de la langue française et de la morale laïque ; l'histoire de France avec ses dates principales ; nos 90 départements munis de leur chef-lieu et de leurs sous-préfectures ; les quatre opérations du calcul et la règle de trois ; l'amour des belles choses. L'année scolaire durait alors dix mois complets ; juillet, qui est généralement le plus chaud de tous, ne nous était point épargné, à peine interrompu par les feux d'artifice du 14, puisque les écoles fermaient le 31 au soir. Mais quels merveilleux mois de juillet nous passions ensemble, uniquement consacrés à des activités d'agrément : dessin, chant, solfège, lecture, gymnastique, classes-promenades ! Tantôt le maître apportait un ouvrage de son étagère personnelle et le lisait à voix haute, passionnément écouté de tous. Tantôt nous puisions dans la modeste bibliothèque de la classe et chacun lisait pour soi, dans un tel silence qu'on aurait entendu un pou tomber. C'est ainsi que je devins un insatiable dévoreur de papier imprimé. Ayant épuisé le contenu de notre placard, j'achetai les petits fascicules à 25 centimes (mais ils passèrent plus tard « provisoirement » à 50), ancêtres du « livre de poche », dans lesquels Arthème Fayard publiait les grands classiques. *Notre-Dame de Paris* y remplissait six numéros ; mais je ne pus jamais me procurer le premier ni le sixième, en sorte que je pris l'histoire après son commencement et dus la quitter avant la fin. Je possédais ainsi, bien à moi, *Tartuffe* et *Sganarelle*, les *Lettres persanes*, *le Scarabée d'Or*, *Quo Vadis*, *Zadig ou la destinée*. Mais tout m'était nourriture. Le *Cri-cri*, l'*Épatant*, l'*Intrépide*, périodiques pour enfants qui paraissaient astucieusement le jeudi matin. *La Montagne*, qu'on déchiffrait dans la maison : ma mère en découpait les feuilletons qu'elle cousait ensuite par un fil de laine, en attendant le jour où elle aurait réellement le temps et l'envie de les lire. Je lisais en marchant dans la rue, au risque de passer sous une voiture. Je lisais les affiches placardées. Je lisais le jour et je lisais la nuit, dans ma chambre froide. Pour arrêter ces excès, on jugea bon de me couper l'électricité. Alors, je me procurai des bougies et menai mes lectures à leur clarté vacillante, sans souci de mettre le feu à mes draps et au reste. Célestine se plaignait de mes habitudes au voisinage :

« *Què drole-tche, trapolhò ma en popey merdou, fodjò qu'o le lejiguesse !* Ce gamin-là, ne trouverait-il qu'un papier merdeux, il lui faudrait absolument le lire ! »

Lorsque j'entrai moi-même au cours complémentaire, ma boulimie ne fit que croître, encouragée par le professeur de français. Pas un inconnu pour moi, puisqu'il s'agissait de M. Cottier, du prophète Élie qui m'avait jadis sauvé des flammes. Belle promotion qu'il avait eue là ! Je le retrouvai avec son inaltérable élégance, ses cheveux bien tirés, son nœud papillon, son menton fendu. Il nous bourrait de poésies, de lectures difficiles, *Les voyages de Télémaque*, *Émile*, *Jocelyn*, *Les Martyrs*, estimant qu'elles devaient convenir à nos douze-treize-quatorze ans, âge où l'appétit est le plus vorace. On chuchotait qu'à ses moments perdus il était en train de composer lui-même un livre ! Nous nous passions des articles qu'il écrivait aussi pour *Le Moniteur du Puy-de-Dôme*. Effectivement, tandis qu'il surveillait à son tour l'étude du soir, nous le voyions penché sur des feuilles blanches qu'il noircissait de sa belle écriture, restant parfois un long moment la plume suspendue, à la recherche du mot exact, de la juste pensée. C'est dire que notre admiration à son égard était infinie. Bien plus tard, je connus le titre et le contenu de son ouvrage : *Le comédien auvergnat Montdory, introducteur et interprète de Corneille*[1]. Orléans nous l'avait piqué, prétendant faussement avoir donné le jour à celui sans qui *le Cid* eût tardé à paraître ; Élie Cottier nous le rendit.

Certains soirs, il ne venait pas seul, mais accompagné de son petit garçon Louis, âgé de trois ans, qu'il lâchait parmi nous à notre grande joie. C'en était fini de l'étude sérieuse : nous jouions avec lui, nous lui lancions des boulettes de papier qu'il rattrapait à quatre pattes, nous le coiffions d'un chapeau de

1. Imprimeries Mont-Louis, Clermont-Ferrand, 1937.

gendarme. Le prophète Élie perdait lui-même de sa gravité, sa plume cessait d'écrire, Montdory demeurait en panne. C'est aussi à travers ce maître adorable que j'adorais les livres.

Toutefois, mon intempérance de lecture avait sur moi certains effets néfastes : des cauchemars, du somnambulisme. Plus d'une fois, je me suis réveillé loin de mon lit, en pans de chemise, en voyage dans l'escalier ou sur le toit. Le premier tome de *Gaspard des Montagnes*, la nuit terrible d'Anne-Marie Grange, lorsqu'elle entend quelqu'un sortir en rampant de sous son lit : *Elle vit se dresser un homme qui lui parut énorme et tout noir. Elle ferma les yeux, faisant celle qui dort...* ; lorsque, ayant bien fureté partout, il sort enfin et qu'elle réussit à lui verrouiller la porte au nez, mais qu'il réclame son couteau resté à l'intérieur, passe sa main sous le battant, et qu'elle lui en décharge un coup qui tranche le petit doigt et à moitié les deux autres, hurlements, promesse de vengeance, tant d'horreurs me tiraient de mon sommeil au milieu de la nuit ; je me levais, j'allumais, je regardais sous mon lit pour voir s'il ne s'y tenait pas quelque brigand caché. Ce qui ne m'empêchait pas, le lendemain, de reprendre la belle histoire où je l'avais laissée, prêtée par un voisin avec qui je faisais des échanges. Me serais-je jamais douté qu'un jour je deviendrais l'ami de son auteur, Henri Pourrat, et d'une certaine manière son fils spirituel ?

Mes terreurs étaient accrues par mon isolement, tout en haut de la maison, dans la partie la plus sensible aux vents et aux orages. Pour atteindre ma retraite, je devais gravir un escalier noir comme le cul du diable, puis traverser une sorte d'antichambre sans davantage de jour. En réalité, un galetas où se tenaient réunis, pendus à des clous, des colliers, des selles, des sous-ventrières, des muserolles au milieu desquels je devais passer à tâtons, les mains en avant, heurtant parfois leur cuir froid et mou comme devaient être les femmes de Barbe-Bleue. J'atteignais enfin la porte de ma chambre, je cherchais le commutateur, j'en tournais la clavette, la lumière jaillissait : ouf ! j'échappais aux fantômes de l'ombre.

Dernière conséquence regrettable : ma myopie. A la façade du *Zanzibar*, était clouée une publicité métallique exaltant le *Bouillon Kub*. Depuis des années, je l'avais sous les yeux chaque fois que je me tenais au « dépôt » et regardais dans cette direction. Un triste jour, je m'aperçus que les lettres du *Bouillon Kub* devenaient floues et illisibles. L'impression persista si bien que je me plaignis à ma mère :

« Je crois bien que je suis en train de perdre la vue.

— Perdre la vue ? A ton âge ? Allons donc !

— Je peux plus lire le *Bouillon Kub*.

— Quel *Bouillon Kub* ? »

Je tendis le doigt. Ma mère lut très bien, elle, l'information publicitaire. Elle m'en proposa d'autres, que je ne pus déchiffrer davantage.

« Frotte-toi les yeux, bien fort. Peut-être que tu y as de la cire ! »

Elle voulait dire : de la chassie. Je les frottai sans

résultat, à plusieurs reprises. Alors elle, accablée :

« Qu'est-ce qu'on va faire ? »

Elle s'en ouvrit à Mme Vedel, la gérante du *Zanzibar* :

« Savez-vous pas ? Mon gamin peut plus lire le *Bouillon Kub !*

— Eh ! bien ! Faites-lui prendre des lunettes !

— Des lunettes à onze ans ? C'est bon pour les vieux !

— On peut porter des lunettes même très jeune. Consultez votre médecin. »

Nous nous rendîmes chez le Dr Pourreyron. Je le connaissais, ayant eu affaire à lui en deux occasions. A la première, il m'avait découvert des ganglions : des ganglions en grappes qui tapissaient ma poitrine comme une treille tapisse une façade. On les avait fait disparaître à force de frictions et d'huile de foie de morue. A la seconde, il m'avait recousu le crâne que je m'étais fêlé dans les circonstances suivantes. Un jeudi matin que je me tenais dans ma chambre au troisième étage de la maison, regardant voler les hirondelles, je reconnus le petit chapeau de paille de ma grand-mère qui descendait la rue. C'était elle en effet, venant nous rendre visite avec son panier noir et ses sabots fuligineux. La surprise fut si grande et si violente ma joie que je dévalai comme un ouragan l'escalier pour aller me jeter dans ses bras. Aux dernières marches, je trébuchai et plongeai tête en avant vers les pierres aiguës du ruisseau. On me ramassa, assommé, ensanglanté, mais pas tout à fait mort. Le bonheur attendu fit place aux cris et aux larmes générales. On me conduisit au médecin qui me tâta, me raccommoda, m'enveloppa la tête comme un glorieux trépané de guerre. Après cicatrisation, il me resta dans l'os frontal une petite dépression où j'enfonce encore quelquefois l'extrémité de mon index. Elle témoigne de tout l'amour que j'ai porté à ma Grande des Bonnets.

Quoique généraliste, le Dr Pourreyron disposait de tout un attirail de lentilles qu'il me posa sur le nez.

« Eh ! bien ! confirma-t-il. Cet enfant est myope.

— Est-ce que ça peut se guérir, Monsieur le Docteur ?

— Se guérir, non. Se corriger, oui.

— Et d'où ça peut bien provenir, s'il vous plaît ?

— Ma foi, de bien des raisons. Est-ce qu'il n'aimerait point, par exemple, un peu trop la lecture ? »

On trouva, on crut avoir trouvé la cause de mon infirmité. L'amour des livres était d'ailleurs à cette époque très mal considéré des petites gens. Tenu pour un vice épouvantable. A tout prendre, on lui eût préféré l'amour du vin ou du tabac. J'eus donc des lunettes à monture de fer dont les branches m'enflammaient le verso des oreilles. Et dès lors me fut collée cette réputation : « Tu ne vois que la moitié de ta vie... Prends garde où tu mets les pieds, toi qui ne vois que la moitié de ta vie... Tout le monde a bonne vue dans notre famille, excepté Jean Pétaret qui ne voit que la moitié de sa vie... » Beaucoup plus tard, quand j'eus une voiture automobile à ma disposition, ma mère me recommandait toujours : « Et surtout roule bien à droite, puisque tu ne vois que la moitié de ta vie... » Il en sera de même jusqu'à la fin de mes jours. Quand je ferai mon ultime bilan, j'aurai grand regret pour cette moitié de ma vie que je n'aurai pas vue, et qui sans doute eût été la meilleure.

En attendant, chaque soir, lorsque je me préparais à monter dans ma chambre, ma mère exigeait :

« Pose tes lunettes sur le buffet. Comme ça, tu pourras pas lire couché et finir de t'user les yeux. »

Elle ne savait pas, bonnes gens, qu'un myope lit encore mieux sans lunettes.

Mais je veux retourner aux juillets de mon enfance, remplis d'enchantements. M. Gaston Cholet régnait sur le cours supérieur qui préparait le certif et le concours des bourses. Une fois ces épreuves satisfaites, le front dûment couronné de lauriers, le cœur tranquille, nous pouvions nous plonger dans les délices de la lecture. Pour varier nos plaisirs, le maître nous emmenait quelquefois en classe-promenade. Nous grimpions sur les hauteurs environnantes de Pierre-Plate, de Dégoulat, de Borbe, et contemplions de là-haut la Limagne et les lointains horizons :

« Voyez-vous, nous expliquait l'instituteur, là-bas, le puy de Dôme rassemble autour de lui sa famille de volcans et volcanetons. Aujourd'hui, nous savons comment se sont formés ces amas de laves et de cendres jaillies d'une crevasse du sol. Mais il y a seulement trois siècles, les hommes l'ignoraient. Et les gens qui habitaient alentour, voyant ces terres rouges, brunes ou noires, les appelaient des *montagnes brûlées*. Et ils avaient raison, car l'Auvergne, notre pays, est fille du feu. »

Le feu, nous le voyions aussi dans les forges des couteliers auxquels nous rendions visite, des estampeurs derrière leur énorme marteau-pilon, des trempeurs, des émouleurs, des polisseurs, des façonneurs de manches. Et moi, je contribuais à l'alimenter chaque jeudi, par mes livraisons de fagots, de boulets, de gaillette.

M. Jeannolle, lui, s'efforçait de nous faire aimer la musique. Ancien chef militaire, il dirigeait l'*Union Philharmonique* (populairement appelée la *Philhar*) qui donnait certains dimanches au kiosque de la place Duchasseint des concerts éclatants de cuivres et de triples croches. Pour nous impartir son enseignement, il avait appris le violon, dont il grattait avec modestie, marquant la mesure par les balancements de son buste et les frétillements de sa barbiche. Aussi lui avions-nous collé le sobriquet de « Père Bouqueton ». Il va sans dire que son archet était également bien pratique pour nous taper sur le crâne lorsque nous chantions faux. Certains d'entre nous lui apportaient des chansons à la mode, achetées en « petits formats » aux chanteurs des rues, et il acceptait, le temps des récréations, de nous jouer des stupidités aussi complètes que :

Je lui fais : pouett, pouette,
Elle me fait : pouett, pouette,
On se fait : pouett, pouette
Et puis ça y est !

Ou *Ramona, Adios muchachos, Constantinople, Ce n'est que votre main Madame.*

Mais son grand souci était de nous faire répéter un hymne dont il avait composé lui-même la musique sur un texte d'un poète local, Henry Franz (pseudonyme d'Henriette Fontbonne). Chaque 11-Novembre, ses jeunes élèves étaient convoqués au square de Verdun afin de l'interpréter en chœur devant le monument aux Morts, soutenus par les trombones de la Philhar. Beaucoup manquaient au rendez-vous. Jamais moi, « pupille de la Nation », pour qui c'était une obligation d'amour filial et patriotique. Après les couplets solennels et richement rimés, nous entonnions de tout notre cœur le refrain :

Soyez bénis ! Soyez aimés !
Que Thiers, avec reconnaissance,
Redise les noms acclamés
De ses fils sauveurs de la France !

Et durant l'entière cérémonie, mes yeux parcouraient la liste des 566 noms gravés dans les tables de marbre, par ordre chronologique et alphabétique, mais restaient le plus souvent fixés sur le début des années 1914 et 1916 : *Anglade Claude*, *Anglade Jean.* Mon oncle et mon père. L'autre oncle sacrifié,

Maurice, frère de ma mère, figurait sur le marbre d'Escoutoux. La pièce maîtresse dudit monument représentait un Celte de haute taille soutenant un poilu épuisé : celui-ci abandonnait sa tête casquée sur l'épaule du grand ancêtre. Et je voulais voir en lui alternativement mes oncles et mon père réconfortés par Vercingétorix en personne.

Pendant ce temps, Henry Franz épanchait dans ses alexandrins des sentiments pieux, tristes et doux ; chantait sa solitude, ses deuils, sa foi catholique ; obtenait des prix aux Jeux Floraux de Toulouse et à l'Académie française. Or j'eus avec cette aimable personne de surprenantes relations. Elle gravissait un matin la rue Edgar-Quinet : grande personne maigre, vêtue de sombre, en deuil sans doute de quelque parent, de quelque amour, de quelque ambition. « C'est Mlle Fontbonne. Vous savez bien : celle qui écrit des récitations », disaient d'elle les Thiernois, persuadés que toute poésie est destinée à être apprise par cœur et récitée dans les écoles, dans les églises, au pied des monuments. Lorsqu'elle passa devant le numéro 15 où nous habitions, notre chien Zigomar se jeta sur elle et entreprit de la réduire en lambeaux. C'était en famille la bête la plus douce, la plus affectueuse que j'ai jamais connue : toujours à me débarbouiller les mains et le visage de sa langue, à gémir de mes absences, à bondir de joie à mes retours. Mais, la chose est notoire, les chiens n'aiment ni les facteurs ni les poètes. Aux cris de l'une, aux abois de l'autre, ma mère dégringola l'escalier de pierre, se jeta dans la mêlée pour séparer les antagonistes, hurlant Zig ! Zig ! Grande charogne ! L'animal comprit qu'il était dans son tort, lâcha prise et rentra dans la maison la queue entre les jambes.

« Excusez-le, dit ma mère : c'est le chien le plus céhoenne du quartier. »

Heureusement, il s'en était pris aux étoffes plus qu'à la chair. Il fallut indemniser Mlle Fontbonne qui en outre jura qu'elle ne passerait plus devant notre porte tant que nous garderions ce fauve. J'essayai de raisonner Zigomar, mais il ne comprit rien à mes sermons. Une autre fois, il s'attaqua à Paparil, le maçon, qui, pour préserver ses mollets, lui jeta dans la gueule son casse-croûte. Une troisième, au boueux qui l'écarta d'un coup de fouet. Une quatrième, à Me P..., huissier de justice, qui rédigea illico un constat de dommages sur sa propre personne.

« Faudra, dit tristement mon beau-père, que je l'assomme d'un coup de pioche pendant son sommeil. Ou que je lui fasse avaler une boulette. »

L'exécution ne fut pas nécessaire. Quelque temps plus tard, il passa sous un camion qui lui écrasa l'arrière-train. On le transporta dans une remise où j'assistai en pleurant à son agonie qui dura une semaine, lui offrant de la nourriture ou de l'eau de ma main qu'il léchait, au lieu de boire. Ensuite, il partit pour l'Éternité des bêtes céhoennes où j'irai peut-être un jour, moi qui ai avec elles tant de similitude ; j'aimerais l'y retrouver en souvenir de la grande amitié que nous eûmes l'un pour l'autre.

Or voici qu'en 1952, un quart de siècle après ces événements, Henry Franz donne à l'hebdomadaire clermontois *Le Semeur* dont elle tient la critique littéraire et artistique, un article aigre-doux sur mon premier roman. Elle en a apprécié le style et je ne sais plus quoi d'autre ; mais cette histoire de prêtre-ouvrier qui succombe aux faiblesses humaines a heurté ses sentiments religieux, et elle ne s'est point gênée pour l'écrire. Je vais cependant la remercier chez elle, rue Montlosier à Clermont, dans le petit appartement où elle habite, rempli de toiles offertes par des peintres reconnaissants. Elle m'accueille avec chaleur, en tant que Thiernois et que confrère débutant. Je chante un couplet de son hymne aux Morts. Puis je rappelle la déplorable agression de Zigomar qu'elle a pardonnée, mais point oubliée.

« Eh bien ! s'écrie-t-elle en souriant. Dans mon article, je vous ai rendu les coups de dents que j'ai reçus naguère de votre sale cabot ! »

Mon roman s'intitule *Le chien du Seigneur*, ce qui donne aussi du mordant à sa réplique.

Les autorités municipales ne lésinaient pas sur le budget de l'instruction publique et entretenaient également à notre profit un maître d'éducation physique et un maître de menuiserie.

Avec l'aide d'une corde lisse, d'une corde à nœuds et de deux anneaux suspendus sous le préau de l'école, M. Gounod, dit Sano, s'efforçait de nous rendre aussi maigres, lestes et déliés que lui-même.

« *Mens sana in corpore sano !* Un esprit sain dans

un corps sain ! » proclamait-il à toute occasion. D'où le sobriquet.

Je le retrouvais chaque mercredi soir moniteur en chef de *l'Indépendante*, société gymnique à laquelle mes parents m'avaient inscrit, sur le conseil du médecin, afin de me prémunir contre l'éventuel retour des ganglions. Les exercices avaient lieu dans le cinéma-théâtre désaffecté qui occupait le dernier étage de la grenette, au fond de la rue du même nom. Cet ancien entrepôt de céréales avait assisté· aux siècles précédents à plusieurs émeutes de la faim avant de devenir, en des temps moins calamiteux, halle aux viandes, fromages et légumes. Les effluves des camemberts et des fourmes montaient l'escalier avec nous. Des lambeaux d'affiches encore collés aux murs rappelaient que Sarah Bernhardt avait joué ici, que Mayol y avait chanté, que Max Linder y avait paru en images. Nous évoluions sur l'ex-parterre devenu gymnase, pourvu de tous les agrès nécessaires, tandis qu'à un niveau légèrement supérieur le plancher que Sarah Bernhardt avait foulé demeurait sans affectation définie, mi-vestiaire, mi-remise à matériel. C'est donc en bas que nous nous déme-nions, bondissions sur les deux croupes du cheval d'arçons, essayions la croix de fer aux anneaux, nous pendions à la barre fixe, les mains blanches de collophane, pour de grands ou de petits soleils. Afin d'alléger nos postérieurs, M. Gounod nous claquait les fesses au moyen d'une règle plate, criant :

« Monte ton derrière ! *Mens sana in corpore sano !* »

Venaient ensuite les jours de gloire. Les défilés en

uniforme, précédés de nos drapeaux tout grelottants de médailles. La démonstration de nos talents au champ de Foire ou sous le Marché couvert. La participation à des concours gymniques hors de l'Auvergne. Les palmarès, les acclamations.

La menuiserie était enseignée exclusivement aux élèves du cours complémentaire par M. Grange, artisan d'une haute capacité, qui me fit aimer le bois presque autant que les livres. Sans fracas, sans devise latine, sans coups sur les doigts, il corrigeait doucement nos erreurs. Autour de nous, les planches, les copeaux, la sciure embaumaient de tous leurs pores. Je rapportai fièrement chez moi un escabeau, une étagère, une jeannette confectionnés de mes mains. Personne ne m'en félicita : l'humeur de la maison n'avait jamais été complimenteuse. Mieux encore : la tragédie y formait notre pain quotidien. Mon beau-père fréquentait un peu trop la buvette du *Zanzibar*, sans parler d'autres caboulots à travers la ville. Il s'ensuivait de grands vacarmes de bouteilles brisées, de cris, d'injures, sur lesquels je ne veux point m'étendre, car les victimes comme les auteurs sont réconciliés depuis longtemps dans les demeures de l'au-delà. Et moi, encore vivant, je pardonne les offenses reçues comme je demande le pardon des miennes. Toujours est-il qu'à force de m'entendre traiter de fainéant parce que je m'appliquais essentiellement à des besognes de papier, je pris les études en désaffection. « Puisque c'est ainsi, me dis-je, que je ne suis qu'un goule-pain-gagné, qu'un bon à rien, je quitte l'école. » J'informai les maîtres du cours complémentaire : après les vacances de Noël, je ne reviendrai pas. A mes copains, le cœur serré, je distribuai la majeure partie de ma bibliothèque portative, les petits volumes d'Arthème Fayard à 25 centimes provisoires, devenus 50 centimes définitifs. Adieu *Jocelyn*, adieu *Bug-Jargal*, adieu *Zadig ou la destinée*. Que d'autres fassent bon profit de vous. Naturellement, il fallut aussi informer les miens de ma décision. Je le fis avec toute la fermeté dont j'étais capable.

« Tu veux plus étudier ? s'étonna mon beau-père. Et pour quel motif ? Tu es toujours en classe dans les premiers !

— Parce que les études, c'est un travail de fainéant. »

Il en resta un long moment la chique coupée, comprenant la signification de cette réponse et regrettant des paroles prononcées sans sincérité véritable, lorsque, comme on dit, c'est le vin seulement qui parle.

« Et que comptes-tu faire à présent ?

— Menuisier, comme M. Grange.

— Tu lui en as causé ?

— Je le ferai. Il me prendra sûrement en apprentissage.

— Tu peux pas faire ça. C'est un travail trop dur pour toi.

— Je l'ai déjà fait. Et je le supporte très bien.

— T'es pas taillé pour la charpente. T'as des ganglions.

— J'en ai plus. En grandissant, je deviendrai fort. »

Il cessa de boire pendant une semaine : Noël ! Noël ! Il prit même la peine de sortir, de voir du monde. Au terme de ces négociations :

« J'ai causé à M. Greliche, à M. Cottier, me dit-il. Ils te reprendront à la rentrée. Ils m'ont promis de faire de toi un instituteur. Promis !

— Un instituteur ? Est-ce que c'est un métier de fainéant ?

— Chaque métier a ses peines. »

Je me laissai fléchir. Voilà comment je ne suis pas devenu menuisier. En guise de consolation, j'obtins à la fin de l'année scolaire le prix de menuiserie, un beau bouquin relié de rouge, *Le tailleur de pierres de Saint-Point*, que j'emportai aux Salomons pour le lire chez ma tante Marie.

Un peu de latin me venait aussi de la porte à côté : de la proche chapelle où j'allais étudier le catéchisme et les prières. Elle assurait la jonction entre Saint-Genès et l'école centrale, ancien cloître des Pères du Saint-Sacrement. Les catéchumènes n'avaient donc que deux sauts à faire pour passer d'une maison à l'autre. Cela ne m'empêcha point de devoir redoubler mon année de catéchisme. Depuis au moins trois générations, j'ai sans doute été le seul redoublant que comptent les annales catéchistiques thiernoises. Encore s'en fallut-il de peu que je n'eusse besoin de tripler. Voici comment me fut infligée cette honte.

Mon beau-père savait à peine écrire et lire. Ce peu

qu'il avait attrapé en trois ou quatre ans d'école, les mois d'hiver seulement, le reste de l'année se passant au service d'un paysan comme petit berger ou gardeur de pourceaux. Cela ne l'avait pas empêché de faire sept ans de services militaires ; de courir l'Italie, l'Algérie, la Palestine, la Serbie ; d'être ensuite un ouvrier estimé ; de devenir enfin son propre maître, même si l'entreprise boitait des quatre pattes et finit par tomber en faillite. Il comprenait donc mal l'intérêt des études et enrageait de me voir penché les jeudis sur mes bouquins, alors qu'il y avait du charbon à livrer, du sable à pelleter. D'où ses colères, et ses insultes, et ses menaces dont une revenait sans cesse :

« Attends seulement d'avoir fait tes pâques ! Attends seulement ! Et tu verras ! »

Que verrais-je lorsque j'aurais accompli ma communion solennelle ? Quelle galère m'attendait ? Tourmenté par ces perspectives imprécises mais redoutables, je résolus de reculer le plus possible l'échéance, et me livrai au catéchisme buissonnier. Ce ne fut d'abord qu'une absence d'essai : au lieu de me rendre à la chapelle le jeudi matin, je rôdaillai autour de l'église comme un chien perdu. Il n'y eut point de conséquence. Peu à peu, je pris donc l'habitude de cette pratique. Quelque chose cependant me retenait sur le lieu de mon crime : il m'arrivait souvent de m'approcher de la porte close, d'écouter au travers le bourdonnement des voix, puis soudain de détaler, le cœur battant, dans la crainte de me faire prendre et conduire par la peau du dos au milieu de mes frères. Au fond, je n'en aurais pas été très fâché ; mais toujours me retenait la menace indéfinie, tu verras, quand tu auras fait tes pâques !

Il m'advint même de fréquenter par intermittences, à défaut de l'officiel, le « catéchisme des ânes » qui se tenait dans une nef latérale de l'église, ouvert donc à tout venant. Sous l'autorité de Mlle Dozolme, il rassemblait les têtes les plus dures, les plus imperméables aux saintes vérités, dans lesquelles, patiemment, à force de rabâchages, la vieille demoiselle s'efforçait d'introduire quand même les rudiments indispensables à toute conscience chrétienne : le *Je vous salue*, le *Notre Père*, le *Je crois en Dieu*, les *Commandements*. De loin, dissimulé derrière un pilier, j'en attrapais quelques bribes. Mlle Dozolme finit par remarquer ma présence, elle vint à moi, voulut me capturer, mais je m'envolai et ne revins plus.

Le mois de mai approchait. Comme je ne lui apportais aucune nouvelle, ma mère finit par me demander :

« Ces pâques, c'est pour quand ?

— Pour bientôt.

— Mais la date ? Tu devrais bien la savoir !

— Je la sais pas. Je l'ai oubliée. »

A d'autres interrogations, je restai aussi vague. Elle s'en fut donc aux nouvelles, rencontra l'abbé Rance, responsable du catéchisme :

« Madame, répondit-il, je n'ai aucun élève de ce nom-là. Voyez au catéchisme des ânes. »

Mlle Dozolme fut aussi négative. Sommé de m'expliquer, j'avouai mon méfait, mais refusai d'en donner les raisons :

« Pourquoi as-tu fait ça ?

— Parce que.

— Oh ! la tête de mule ! »

Une gifle claqua.

« Laissez, dit l'abbé Rance. Il viendra l'année prochaine. Je l'inscris dès à présent. Tu me promets de venir ?

— Oui, M'sieur.

— Il faut dire : Oui, mon Père.

— Oui, mon Père. »

Ainsi fut fait. L'abbé me munit contre trois francs d'un catéchisme tout neuf rempli de 581 questions groupées en vingt leçons, imprimées en italiques, chacune avec sa réponse appropriée ; d'un « petit paroissien » et d'une anthologie de cantiques. Je le lus à la clarté de mes chandelles de la première ligne à la dernière, avec le même intérêt que mes bouquins habituels. Tout de suite, grâce à lui, grâce aussi à mon avance d'âge (je dépassais les autres d'une demi-tête), je brillai sur le cours, composé pour moitié d'élèves de Saint-Joseph, pour moitié d'enfants de la laïque, de « l'école sans Dieu » comme nous désignaient les prêtres. Mais Dieu, nous le retrouvions dans la chapelle, il nous accueillait aussi paternellement que les autres, et ne nous en voulait point de la question parodique que nous nous posions à la sortie :

« Qu'est-ce que Dieu ?

— Dieu est un petit homme vieux, tout habillé de bleu, qui fume sa pipe au coin du feu. »

Définition qui, somme toute, ne me semble dénuée ni de poésie, ni de justesse.

Malheureusement, je ne brillai pas longtemps sur mes coreligionnaires ; car au bout de trois semaines, je perdis mon livre de trois francs, encore à l'état neuf ; j'eus même le sentiment que quelqu'un me l'avait volé. (Mais voler un catéchisme est chose aussi absurde que voler des fleurs dans un cimetière !) Mes économies ne suffisaient point à le remplacer et je n'eus pas le courage d'avouer ma perte à ma famille. Je me passai donc du livre tout le reste de mon temps. A chaque fin de séance, l'abbé nous donnait à apprendre une leçon pour la semaine suivante. Nécessairement, je revenais la tête vide. L'interrogation commençait : *Devons-nous honorer la Sainte-Vierge ? Devons-nous avoir une grande confiance en la Sainte Vierge ?...* Si les questions se trouvaient dispersées à travers la classe, j'enregistrais aussitôt dans ma mémoire les réponses, que je pouvais ensuite fidèlement resservir. Mais si elles tombaient sur moi d'abord, je demeurais le bec ouvert :

« Zéro ! s'écriait l'abbé Rance. Et à genoux ! »

Je quittais mon banc, j'allais m'agenouiller sur les marches froides de l'autel, le cœur plein de sentiments confus et douloureux, mi-victime, mi-coupable, ne sachant si je devais accuser ou demander pardon.

Vint l'étude des *Commandements*. Quand nous arrivâmes au sixième : *Luxurieux point ne seras, De corps ni de consentement*, les explications de l'abbé furent très rapides. Et il avait bien raison : c'était là pour nous un sujet inaccessible. « Être luxurieux, nous dit-il, ça consiste à commettre des impuretés ». Aucun d'entre nous ne se soucia de lui demander ce que sont des impuretés. Or, par un rare privilège, moi je le savais. Je me rappelais une expérience faite en classe l'année précédente par notre instituteur, M. Dupuy-Gardelle. Elle portait sur les différents moyens de filtrer l'eau. Il nous avait montré d'abord un flacon rempli d'un liquide boueux ; il l'avait ensuite versé dans un entonnoir garni d'un tampon d'ouate. Au-dessous, la bouteille recueillait une eau transparente, parce que l'ouate « avait retenu les impuretés ». Je n'avais donc plus grand-chose à apprendre sur le sixième *Commandement*. A cet âge, on a vite fait de croire qu'on a atteint le fond de la connaissance.

Au temps pascal, je me confessai. Quand j'eus avoué mes gourmandises, mes mensonges, mes colères, mes gros mots, mes vendredis sans poisson, le confesseur insista :

« Est-ce bien tout ? N'as-tu rien oublié ? »

Je retournai encore les immondices de ma conscience et, pour lui faire plaisir plus que par conviction :

« Mon Père, dis-je, j'ai été luxurieux.

— Quoi ? Luxurieux ? Qu'est-ce que tu me racontes ? »

Mon silence dut l'impressionner. Il insista : « Qu'est-ce que tu as fait pour être luxurieux ?

— Des impuretés.

— Par exemple ! Et où ça ?

— Dans la cave.

— C'est du propre ! Et avec qui as-tu été luxurieux dans la cave ? »

Bon, que je me dis ; faut être plusieurs, ça m'embêtait, car je n'avais pas prévu d'aide. J'eus peur qu'il ne me crût pas, et j'en rajoutai :

« Avec... avec ma sœur.

— De mieux en mieux ! Avec ta sœur ! Et qu'est-ce que vous avez fait, comme impuretés ?

— J'ai... on a tiré du vin. Ça a fait venir des *chanes.* »

Les *chanes* à Thiers sont les fleurs qui montent à la surface quand le tonneau approche de sa fin. Dans le Bourbonnais, c'est encore plus joli, on les appelle des *gendarmes.*

« Et alors ! s'écria l'abbé Rance. Des *chanes !* Du vin ! Qu'est-ce que c'est que cette histoire ? Quel rapport avec la luxure ? »

Il n'avait pas l'air de savoir que les *chanes*, ce sont des impuretés. Je fus bien heureux de le lui apprendre.

Messe obligatoire chaque dimanche, dans l'église pleine de mécréants de mon espèce. Pour mieux voir le spectacle liturgique, certains d'entre nous se juchaient sur les dossiers des prie-Dieu. Ce qui amenait le curé titulaire à réciter le *Credo* de la façon suivante :

« Je crois en Dieu le Père Tout-Puissant... Montez pas sur les chaises !... Créateur du Ciel et de la Terre. Et en Jésus-Christ son Fils unique... Descendez de ces chaises immédiatement !... »

Cahin-caha, nous arrivâmes au mois de mai, moi toujours sans livre de catéchisme. J'atteignis néanmois un total de points honorable, qui m'épargna de tripler, et je fis normalement mes pâques, avec mon front qui dominait les autres. Il y eut chez moi la fête traditionnelle à laquelle personne ne rechignait, même pas les mécréants, car elle s'accompagnait de vin rouge et de brioche aux grattons. Pour moi, je reçus Dieu dans mon cœur tourmenté, et plus jamais il n'en est ressorti malgré le grand désordre au milieu duquel il doit fumer sa pipe.

Quant à la menace imprécise elle ne fut suivie d'aucun effet immédiat. A jeûn, mon beau-père redevenait un homme lucide et généreux, conscient de ses devoirs :

« C'est moi, me dit-il, qui remplace ton père. Puisque tu réussis bien dans les écoles, tu iras chez M. Greliche. »

Voilà comment je fus inscris au cours complémentaire, antichambre de l'école normale d'instituteurs, tandis que les fils de bourgeois allaient au collège.

En blouse grise, coiffé de sa casquette, M. Greliche ressemblait à un droguiste. A M. Linossier. Tous les soirs, pendant l'étude, assis au milieu de nous sur une table d'élève pour mieux profiter de l'éclairage, il révisait dans son manuel la leçon de chimie, de physique ou de mathématiques qu'il aurait à nous débiter le lendemain. Son enseignement des sciences était très singulier : il se déroulait pratiquement sans le secours d'aucun matériel, uniquement grâce à des dessins tracés au tableau noir. On y voyait le cristallisoir rempli de mercure sur lequel se renversait le tube de Torricelli. L'éprouvette où la soude et HCl se mariaient et faisaient ensemble des petits. Le sodium et le potassium qui crachaient le feu à la surface de l'eau. Dans ces conditions, jamais aucune expérience ne ratait : les flammes du soufre étaient représentées en bleu, en rouge celles du cuivre en combustion.

« J'ai été gazé pendant la guerre, nous expliquait M. Greliche, dit Boto, et je ne peux plus supporter les vapeurs nocives. »

Autre avantage : notre chiche provision de tubes et de produits chimiques demeurait intacte et toujours suffisante.

De loin en loin, cependant, Boto avait l'audace de procéder à une démonstration d'optique : elle ne pouvait engendrer aucune vapeur. Il disposait donc sur sa chaire une bougie, une lentille, on éteignait les lampes, et il allait cueillir sur une feuille blanche, très loin de la loupe, l'image renversée de la flamme qui sans la feuille fût restée invisible, minuscule fantôme insoupçonné au milieu de l'atmosphère. Cette magie nous émerveillait. Même chose pour le prisme qui peignait le plafond d'arc-en-ciel, le miroir concave qui nous grossissait, le convexe qui nous rapetissait. L'objet le plus étonnant de l'armoire était une machine de Ramsden : nous nous réunissions autour d'elle, formant une chaîne ; le premier et le dernier posaient leur main libre sur une manette de l'appareil ; alors l'instituteur mettait en mouvement un certain disque au moyen d'une manivelle. Aussitôt, Ramsden nous envoyait jusqu'aux coudes une décharge qui se transmettait de proche en proche. Les maillons de la chaîne se convulsaient, poussaient des cris de surprise :

« Boto, boto, boto, boto ! s'écriait M. Greliche. Vous n'allez pas en mourir ! D'ailleurs, le courant électrique à faible intensité est très bon pour le système nerveux. »

Mais le plus souvent, l'étude se trouvait occupée par des problèmes ou des dictées qui ajoutaient un complément aux horaires normaux. Nous emportions encore du travail à faire à la maison, des cartes à dessiner, des leçons à ingurgiter, des rédactions à composer, des récitations à nous fourrer dans le cassis. Après quatre années d'une telle suralimentation, nous affronterions le concours d'entrée à l'école normale bourrés jusqu'au goulot de dates, de formules chimiques et algébriques, de cosinus, de poids spécifiques, de points culminants, d'affluents de la Garonne. La tête bien pleine plutôt que bien faite. Bœufs de labour. Mais les divers cours complémentaires du département raflaient les quatre cinquièmes des places, abandonnant le reste aux élèves des collèges et des écoles primaires supérieures, bénéficiaires d'un enseignement plus distingué.

En 1928, par un miracle que je ne m'explique pas encore, nous vint une plus grande merveille encore :

une installation de T.S.F. Tellement précieuse que M. le Directeur la logea dans son bureau personnel, à l'abri des accidents et de nos sévices. Mais il nous y accueillait par petits groupes, le jeudi après-midi, si nous pouvions échapper à nos obligations ordinaires et revenir à Cloîtras. En fait, il ne s'agissait pas d'un appareil au volume limité, aux contours précis, en forme de borne kilométrique par exemple, comme on en vit plus tard, mais d'une combinaison de boutons et de lampes, un brouillamini de fils et de bobines que notre professeur de physique avait étalés au-dessus d'une armoire basse ; à l'écart de ce meuble, le haut-parleur s'épanouissait comme une énorme fleur de convolvulus. Le maigre public s'asseyait sur les chaises disponibles : j'y vins une seule fois. Boto se mit alors à enfoncer des fiches, à pousser des réglettes, à orienter le pavillon : un son naquit de cet attirail, grandit, gonfla, emplit la pièce d'un ruissellement musical. Nous écoutions dans le ravissement, le souffle coupé. A la fin, la voix nasillarde d'un speaker annonça :

« Vous venez d'entendre *Jets d'eau* de Claude Debussy, exécuté au piano par Madame... »

Le nom se perdit dans le fading. C'était la première fois que j'entendais celui du génial musicien.

« Voilà, expliqua Boto à ceux qui n'auraient pas compris. Toutes ces notes évoquent le bruit que fait un jet d'eau en montant et en retombant. »

Puis il ajouta, de façon plus technique : « L'émetteur est celui de la tour Eiffel à Paris. Notre système de T.S.F. est capable aussi de capter un second émetteur. Mais pour cela, il faudrait que je déplace l'armoire et change la disposition des fils qui sont derrière. Alors, nous nous contenterons de celui-ci. »

Tel fut mon premier contact avec la grande musique, celle que n'aime pas mon ami disparu le poète Pierre Moussarie, qu'il appelle « la grande musicasse ». Jusqu'à ce jour-là, je ne connaissais encore que celle qu'il apprécie : les chants populaires, les bourrées de la vielle et de l'accordéon, les « regrets » de la cabrette, les aubades du mois de mai. Mais il y a un temps pour tout faire et tout entendre sous le ciel.

Tout m'était savoir à conquérir et je trouvais partout des maîtres. A monter les couteaux ; à servir les briques aux maçons ; à jardiner ; à jouer de l'accordéon diatonique dont tu dois pousser le soufflet si tu veux *do, mi, sol, do* et le tirer si c'est *ré, fa, la si ;* à préparer la soupe ; à remplir au tonneau, dans la nuit, une bouteille en se fiant à la note de plus en plus aiguë que produit le vin en tombant, à tourner le robinet au moment exact, sans y perdre une seule goutte ; à moudre le café entre les genoux ; à balayer la cuisine sans oublier aucune place :

« Et si les coins en veulent, qu'ils s'approchent ! »

Saïd m'enseignait des rudiments d'arabe populaire. Henri m'apprenait à conduire le camion automobile. Celui-ci était un vétéran de l'armée américaine, sans doute avait-il combattu à Saint-Mihiel. Marque *Peerless :* Sans Pareil. Muni de chaînes clapotantes et de bandages en caoutchouc épais de trois doigts, larges de quatre mains. Consommation : soixante litres aux cent kilomètres. Pour mieux se consacrer à ses tâches personnelles, mon beau-père avait embauché un chauffeur-livreur, Henri, Ambertois d'origine dont le patois était, selon l'usage, l'objet de constantes railleries. Je lui servais d'aide pour charger ses pierres et ses parpaings. En récompense et par amitié, il me cédait quelquefois le volant. Le levier des vitesses muni d'un taquet à ressort circulait, quand il voulait bien, dans une sorte de crémaillère à chicanes ; la trompe faisait coin-coin lorsqu'on pressait une sorte de poire à lavement ; les phares s'éclairaient à l'acétylène. J'éprouvais un grand bonheur, moi, petite bête, à commander à cette bête monstrueuse qui m'obéissait au doigt et à l'œil avec, de temps en temps, la correction de mon instructeur. Mais elle faillit un jour mettre fin à ma carrière.

C'était au cours d'une manœuvre sur la route qui va de Pont-de-Dore à Néronde : le chauffeur exécutait un demi-tour, moi, debout sur le marche-pied gauche, à l'opposé de sa place, à peine retenu à la ridelle, le guidant de mes instructions :

« En arrière !... En avant !... En arrière !... En... »

Le dernier démarrage fut si brusque que je lâchai prise et tombai sous la benne, juste à l'endroit où allait passer la roue arrière. Henri, qui n'avait rien remarqué, maintint sa pression sur l'accélérateur. Couché sur le dos, je vis l'énorme bandage s'avancer sur moi, je songeai en un instant au fer de ma mère chauffé sur le fourneau : il allait me repasser des pieds à la tête. D'instinct, je levai les genoux ; la roue me prit par le postérieur, me rejeta dans le fossé. Un peu plus loin, le camion s'arrêta, tandis que je me relevais, poussiéreux, meurtri mais vivant. Je recommandai à l'Ambertois stupéfié de ne pas souffler mot de mon accident :

« Pourquoi ?

— On m'empêcherait de vous accompagner. »

Je tenais à reprendre mes leçons de conduite. Voilà comment je ne mourus pas à quatorze ans au bord d'une route, aplati comme une « guenille » de Mardi Gras.

D'autres précieuses leçons me venaient du cinématographe. De loin en loin, pour me récompenser de mes sueurs, on me donnait les quinze sous du billet de la « matinée ». Étrange appellation pour des séances qui avaient lieu l'après-midi. Tarif réduit pour les enfants. Plusieurs spectateurs payaient un abonnement leur donnant droit à toutes les séances du mois, et avaient leur place réservée comme à l'église. Thiers disposait alors de deux salles : le *Fémina*, près du Marché couvert, et le *Palace*, plus couramment appelé le *Bazola,* du nom de son propriétaire, sous la terrasse du Rempart. Comme les films étaient muets, un petit ensemble d'instruments à cordes accompagnait les projections du second (M. Bazola en personne y jouait de la contre-basse), un piano celles du premier. De toute manière, personne n'entendait leur musique car, lorsque apparaissait sur l'écran le texte des dialogues, toute la salle entrait en marmottement, comme à l'église quand les fidèles récitent ensemble le *Credo* :

— *JE VOUS AI TOUJOURS AIMÉE, ARABELLE !*

— *VOUS ÊTES UN JOLI MENTEUR !*

Il y avait ceux qui, peu familiers de la lecture, n'arrivaient pas à le déchiffrer jusqu'au bout avant le retour des images, et exprimaient leur dépit, s'informaient auprès des voisins :

« Merde alors ! Pas eu le temps de tout lire ! Qu'est-ce qu'elle répond ?

— Elle répond : *Vous êtes un joli coco !*

— Taisez-vous donc, là-derrière, les blagandes ! »

Les beaux gestes étaient applaudis, les honteux sifflés, comme au Guignol ; la salle vibrait, encourageait, tempêtait. Le cinéma devenait d'ailleurs théâtre de variétés au bout de la première partie : l'écran s'enroulait, et paraissaient les planches sur lesquelles se produisait un jongleur, un acrobate ou un faiseur de « tours de physique ». Pendant l'entracte, ils vendaient leur figure en carte postale. Puis de nouveau les lumières s'éteignaient. Mes vedettes préférées étaient Douglas Fairbanks Jr, Gloria Swanson, Ivan Mosjoukine, Mary Pickford, « la petite fiancée du monde », Harold Lloyd, qui comme moi portait lunettes et que j'appelais Harold Louade. Toutes les dames étaient folles de Rudolph Valentino, mon Dieu les yeux qu'il a ! les dents qu'il a ! le sourire qu'il a !

Le piano du *Fémina* était tenu par Mme Tournier, notre voisine rue Edgar-Quinet, qui épousa un jour en secondes noces mon instituteur et devint Mme Gaston Cholet. Elle me glissait des billets de faveur que je ne manquais pas d'honorer. Ainsi me devinrent familiers de grandes figures romanesques ou historiques : d'Artagnan, Anna Karénine, Arsène Lupin, Michel Strogoff, Robespierre, Napoléon, Surcouf roi des corsaires. Je ne méprisais pas pour autant Fatty, Ribouldingue ni Charlot. Un dimanche d'hiver qu'on m'avait refusé, pour je ne sais quel motif, Double-Patte et Patachon en matinée, j'attendis le moment où tout dormait (on se couchait tôt dans la maison), descendis l'escalier sur mes bas, enfilai dans la rue mes souliers-galoches et, muni de mon billet gratuit, filai jusqu'au *Fémina*. Dépourvu de mes lunettes et n'y voyant que la moitié de ma vie, je me plaçai au premier rang, juste derrière la pianiste, ma bienfaitrice. Le lendemain, celle-ci rencontre ma mère dans la rue :

« Eh ! bien ! Votre fils a passé un bon moment hier soir au cinéma ! Je l'ai vu qui rigolait comme une baleine ! »

J'eus des comptes à rendre, des gifles à recevoir. Dès lors, il me fallut dormir sous clé. Je regardais avec mélancolie le trou de la chatière, me demandant pourquoi les petits d'homme sont moins libres que les chats.

Les spectacles du *Bazola*, d'une variété extrême, avaient valu à cette salle une grande popularité. Ce patronyme était devenu pour les Thiernois un nom commun, synonyme de cinéma, de théâtre, de beuglant, de comédie bruyante et larmoyante.

« Mais quel bazola ! » s'écriait l'agent de police devant une bataille de chiens.

« Arrête ton bazola ! » recommandait la mère à sa fille qui faisait mine de pleurer pour obtenir une nouvelle parure.

Lorsque fut célébré en 1930 le cinquantenaire des lois laïques de Jules Ferry, j'eus l'honneur de monter moi-même sur la scène pour un numéro de « poses plastiques ». Presque nu, barbouillé de plâtre pour laisser croire que j'étais en marbre, je figurais l'adolescent qui se laisse entraîner par un volontaire barbu dans la *Marseillaise* de Rude. Nous fûmes très applaudis.

L'année suivante, comme je devais subir à Clermont les épreuves du concours d'entrée à l'école normale, ma mère jugea bon de m'y envoyer dans une tenue présentable. Or il se trouva que le Bazola mettait en vente sa garde-robe : un lot de vêtements de toutes sortes, portés seulement par des acteurs de passage l'espace de quelques représentations.

« Nous y trouverons peut-être ton affaire. »

Toutes ces fripes se trouvaient accumulées dans une loge. Elle fouilla dans le tas, m'en fit essayer plusieurs : une tenue d'huissier, une autre de ministre, une troisième d'artiste-peintre, un uniforme de sous-préfet. Tout en se tordant de rire aux résultats obtenus. Elle finit par considérer sérieusement un complet de flanelle grise à veston croisé, un peu ample de poitrine, un peu long des jambes :

« Je l'ajusterai à tes mesures. Il t'ira très bien. »
Peut-être avait-il servi à jouer Courteline, Feydau ou Portoriche. Et c'est ainsi que déguisé en Boubouroche, j'allai affronter le jury pédagogique.

Mes oncles.

Le Ciel m'a donné une mirobolante collection d'oncles et de tatas, aussi bien paternels que maternels. Je leur étais fort attaché et réciproquement, car ils se cotisaient pour remplacer de leur mieux mon père disparu, puisque j'avais le désavantage d'être le seul orphelin mineur de la parenté. Mon oncle Claude était mort en effet sans progéniture, et mon oncle Maurice, célibataire. Aussi étais-je à chacune de nos rencontres accueilli par une avalanche de tendresses et de diminutifs :

« M'ami... Mon belou... Djantou... Djantouni... »

Vers ma dixième année, j'en avais grand besoin, car j'en manquais chez moi. Il ne fallait pas en attendre de mon beau-père, trop rude, d'humeur trop difficile, trop occupé à taper du poing sur la table et à lancer des « pétard de Dieu ! » Pas davantage de ma mère, prise entre l'écorce de son présent et l'arbre de son passé, s'efforçant de faire face aux charges de l'entreprise charbonnière et du ménage, soulevant les sacs de boulets comme un homme, jamais remerciée, souvent injuriée, s'en prenant à moi de ce qui lui arrivait, me souffletant pour un oui, pour un non. J'avais cependant ma tactique personnelle pour essayer de l'attendrir : tandis que j'encaissais les calottes des instituteurs avec un mutisme spartiate, à la moindre giflette de ma mère j'émettais d'affreux braillements qui me valaient seulement cette menace :

« Finis de hurler, sinon tu reçois une autre mornifle, et tu sauras alors pourquoi tu pleures ! »

Je le savais : j'étais persuadé que ma mère ne m'aimait plus. Parfois, elle poussait ce cri qui m'est resté planté dans le cœur :

« Que de douleurs tu me causes ! »

Bref, héritier du nom de mon vrai père, je me sentais étranger dans ma famille. Ma petite sœur, en revanche, était mignotée de tous, y compris de moi-même. Car je ne lui en voulais point de ce favoritisme outrageant dont elle bénéficiait, sentant bien qu'elle ne faisait rien pour l'obtenir. A elle donc toutes les douceurs, tous les mots gentils, *Plampougnis*[1], *Quïnze-Fiourey*[2], *Tchou-Blan*[3], toutes les indulgences, toutes les sucettes : mais elle m'en refilait en cachette les trognons encore tout à fait consommables. Elle faillit même un jour m'empoisonner avec la meilleure intention du monde. J'étais alité à mon troisième étage pour cause de pleurésie. Voici qu'elle monte me voir, les mains pleines d'une friandise nouvelle qu'elle avait pêchée dans le sac à provisions de notre mère. Cela ressemblait un peu au

1. Nom du Petit-Poucet auvergnat.
2. Quinze-Février : jour de sa naissance.
3. Cul-Blanc.

sucre candi par ses beaux cristaux transparents, mais il s'agissait de cristaux bleus, ce qui ne gâtait rien.

« Tiens un bonbon. »

Je n'en avais guère envie ; mais pour lui faire plaisir, j'entrepris d'en sucer un éclat. J'ai encore dans la bouche l'âpre saveur de ce produit qui était du sulfate de cuivre, communément appelé « vitriol de Chypre ». Il venait tout droit de chez M. Linossier, était destiné à sulfater un pied de vigne qui végétait au revers de notre maison. Naturellement, je n'allai pas plus loin que cette première succion. Là-dessus, arrive Célestine affolée, elle me trouve le sucre candi bleu entre les mains :

« Malheureuse ! Qu'est-ce que tu as fait ? Du vitriol ! Est-ce qu'il en a sucé ?

— Un tout petit peu.

— O Sainte Bonne Vierge ! Il se sera empoisonné au vitriol ! »

Le vitriol de Chypre, sans être vraiment une friandise, n'est pas non plus un poison véritable. Sinon, toutes les grives mourraient, qui se gorgent chaque automne de raisin sulfaté. Célestine le confondait avec le vitriol ordinaire, acide sulfurique, que les femmes jalouses envoyaient en ce temps-là au visage de leurs rivales ; cela suscitait un grand scandale et des dégâts considérables. Je ne me trouvais donc pas du tout vitriolé. Mais notre mère le croyait. La voici, dans tous ses états, qui dégringole les trois étages, remonte avec un bol d'eau chaude et une cuvette, la petite Marthe éclate en sanglots, on me met le bol entre les mains. Au milieu d'un tel bazola, je ne sais qu'en faire et j'entreprends de le vider à longs traits.

« Mais non ! Mais non ! C'est pas pour boire ! C'est pour te rincer la bouche et le gosier ! Crache ! Crache !

— Trop tard. Je l'ai bu.

— Hi-hi ! hurle ma sœur.

— Je vais en chercher un second ! »

La tentative d'empoisonnement n'eut pas d'autres suites. J'en demeurai néanmoins fort troublé. Car l'inquiétude de ma mère m'amena à me poser cette question : « Est-ce qu'elle m'aimerait quand même un petit peu ? » Mais l'affaire fut vite oubliée, on en rit beaucoup dans la maison, les calottes se remirent bientôt à grêler sur mon crâne ras, et je retombai dans mes angoisses précédentes.

Étais-je en vérité un enfant insupportable, abonné aux coquineries, de ceux dont on dit : il est comme la chèvre, s'il ne fait pas de mal, il y pense ? Y resongeant après tant d'années, je crois pouvoir dire : pas plus que les autres. Plutôt moins. J'obéissais à tous les donneurs d'ordres ; je remplissais de mon mieux mes tâches de bougnat, de manœuvre, d'encaisseur, d'aide-chauffeur ; je m'ennuyais le dimanche ; je n'allais plus au cinéma en cachette ; je mangeais tout ce qu'on mettait dans mon assiette, y compris le boudin qui ne me faisait plus mal aux oreilles ; j'encaissais toutes les réprimandes sans répondre, pas même pour me justifier ; j'apprenais bien à l'école ; je faisais lire ma petite sœur dans son livre rose. J'ai déjà rapporté quelques-unes de mes polissonneries. En voici deux autres. Qu'on juge de leur gravité.

La seule nourriture que je ne pusse à aucun prix avaler était le céleri en branches, cru, mêlé à la salade. On m'en servait quand même, malgré mes protestations, pour m'apprendre à tout manger. Car l'homme est omnivore. Et spécialement l'Auvergnat. Un jour que nous étions encore à table, arrive un vieux commis de la maison, celui qui figure sur le cliché au cheval, et qui s'appelait Marron. Couleur peu seyante à son caractère car, chopineur enragé, il était plutôt gris au milieu du jour et franchement noir à partir de quatre heures. On le fait asseoir, on lui offre le canon attendu, qu'il porte à ses moustaches d'une main tremblotante. Et voici que, se penchant, il tend tout à coup son index pouacre :

« Qu'est-ce que je vois... là... sous la table ? Des cigarettes ?... Oui, oui, c'est plein de cigarettes ! »

On s'accroupit et, à ma grande confusion, on ramène au jour divers morceaux de céleri cru dont je m'étais débarrassé. Il me fut chanté matines ; mon beau-père m'expédia dans la figure sa casquette charbonneuse — c'était le seul châtiment physique qu'il se permettait à mon endroit — ma salade en fut abondamment poivrée. J'y ajoutai le sel de mes larmes.

Une autre fois, je me soûlai à la bière. Ou plutôt, les commis me soûlèrent, avec qui j'avais travaillé des heures à décharger des tuiles, à les faire passer du camion jusqu'au sommet d'une maison neuve, grâce à des échelles et à une chaîne humaine dont j'étais un maillon. Au terme du transbordement, ils avaient bien ri de mes mains usées jusqu'à la corde :

« Ha ! ha ! ha ! Les tuiles, c'est moins doux que le porte-plume ! »

Ensuite, tout le monde va se désaltérer. Et l'on me fait boire de la bière plus que ma tête ne peut en supporter. En somme, ils me traitent comme ils ont coutume de traiter Saïd, quoique je ne sois point de confession musulmane. Je reviens titubant au « dépôt », et Célestine m'administre une paire de claques pour me dégriser. Sa médecine sera d'ailleurs efficace.

Voilà tout. Je n'ai gardé souvenir d'aucune autre infamie qui vaille d'être rapportée. Aussi avais-je le sentiment d'être victime d'une injustice quotidienne. Ce qui me conduisit enfin à la révolte. A la fugue.

Quel méfait avais-je pu commettre ce matin-là ? Ma mère, toujours houspillée elle-même, toujours énervée, m'avait giflé à plusieurs reprises pour se détendre, malgré les protestations de ma petite sœur :

« Pourquoi tu le bats tout le temps ?... Batteuse ! Batteuse ! Batteuse ! »

J'étais allé pleurer dans mon coin, tandis que Marthe cherchait à me consoler en m'offrant un morceau de sucre. Un peu plus tard, le tapage cependant recommence. (Mais pour quelle canaillerie ?) Et cette fois, Célestine, qui tient à la main une serviette mouillée à carreaux rouges, la fait claquer sur mes genoux avec tant d'adresse ou de maladresse que la mèche de ce fouet me mord cruellement, m'arrachant un cri de douleur et d'indignation :

« Comme un âne ! Tu me fouettes comme un âne ! »

Pour éviter un supplément, j'enfile aussitôt la porte et disparais. Dans ma chambre, j'en appelle à mon père dont je garde précieusement la photo, dissimulée parmi mes livres, depuis que je suis monté la récupérer sur le toit d'en face, à quatre pattes, où tonton François l'avait balancée avec d'autres reliques, un soir d'ivresse et de jalousie rétrospective.

« Est-ce que je suis vraiment un diable ?

— Je ne crois pas.

— Je ne veux plus rester dans cette maison, où l'on me bat, où l'on me méprise. Est-ce que je peux me sauver ? »

Il me regarde avec ses yeux tristes, ne dit ni oui ni non. C'est décidé : à midi, je ne serai plus là. Je chausse mes souliers à tige, j'enfile mon sarrau noir, celui de l'école. Oh ! je ne m'en vais pas sans regrets ! D'abord, je songe à ma petite sœur qui sera bien triste de mon absence ; mais un jour nous nous retrouverons, je serai devenu un garçon moustachu comme mon père, elle sera encore petite fille, je lui achèterai toutes sortes de friandises ; peut-être même qu'avant ce temps je lui enverrai une lettre pour lui faire savoir que je me porte bien et que je pense toujours à elle. Ensuite, j'ai vu, au milieu de ses disputes, ma mère préparer un plat dont je suis particulièrement gourmand : des pommes de terre en salade. Un moment, l'amour de ma petite sœur et celui des pommes de terre en salade me retiennent. Mais j'ai conscience que je dois faire quelque chose de grave si je veux qu'on me rende les honneurs qui me sont dus. Je m'évaderai donc. Voilà. Point final.

Au lieu de descendre l'escalier habituel qui aboutit rue Edgar-Quinet, je gravis son prolongement postérieur, vers la rue de Lyon, où j'arrive sans encombre. Deux refuges s'offrent à ma pensée : la maison de ma grand-mère Antoinette et celle de ma tante Marie. On m'aime également des deux côtés, j'en suis sûr ; mais je choisis le second parce que les Salomons sont beaucoup moins loin que les Bonnets. J'enfile la route de Vichy. Devant la gendarmerie, je prends le trottoir d'en face pour que les gendarmes ne soupçonnent pas mon évasion. Au Pontel, je quitte la nationale, emprunte à main droite un raccourci montant. Plus haut, voici un pont qui enjambe la voie ferrée. Je m'y arrête un moment, avec l'espoir de voir passer un train. Les trains me fascinent : je rêve d'être un jour mécanicien de locomotive. Mais la ligne reste déserte, bien que j'entende au loin de longs sifflets provenant de la gare de Thiers. Je vais, je viens, je musarde, je m'arrête, je savoure ma liberté conquise. Personne pour m'enjoindre : fais ceci, fais cela, défense de monter sur ce muret, défense de cracher par terre, défense de t'asseoir sur l'herbe pour salir tes culottes, défense d'ouvrir la bouche, et si tu n'obéis pas ou si tu réponds, je t'envoie une claque que le mur t'en donnera une seconde. Ici, tout m'aime, tout me respecte : les lézards, les fourmis, les bousiers, les vaches dans leur enclos qui viennent me regarder de près pour m'exprimer leur sympathie.

Je retrouve la route de Vichy. A ce carrefour, au lieu de la suivre tout droit, je fais un détour vers les Catharins. Je connais très bien, tout au bout du hameau, cette construction, à gauche, une maison basse à usage de remise. Ma mère me l'a racontée souvent, quand nous étions elle et moi en bons termes :

« Voici le dernier ouvrage de ton pauvre père, le soir du 2 août 14. Ce crépi a été posé de sa main. Et quand il en a eu fini, il a jeté sa truelle en disant : je te reprendrai plus. Il avait le pressentiment qu'il ne reviendrait pas de la guerre. »

Une fois encore, je passe devant la remise, je caresse la façade. Par ce geste, j'informe mon père que je me rends chez sa sœur Marie. Il ne peut me désapprouver. Plus loin, je remonte vers la grand-route.

Un peu avant le passage à niveau, sur la gauche, je salue le café Bellegy avec son terrain de quilles que je connais bien. Là, chaque dimanche d'été que je passe aux Salomons, je vais participer aux jeux des adultes. Je me tiens tout au bout de la piste, où la boule vient frapper contre les quilles d'abord, à grands éclats, puis contre une poutre rongée qui lui sert de butoir. Moi, je suis chargé de relever le quillier abattu, puis de renvoyer la boule. L'homme, à l'opposite, la ramasse, la lève à hauteur de ses yeux pour viser — certains la postillonnent, la marquent d'une croix, d'une bénédiction afin qu'elle fasse bien son devoir — puis la lance après trois pas de course, avec un grand mouvement du bras et des reins :

« Han ! »

Elle pète sur la planche de départ, un peu creuse, puis s'en va sur la terre nue, déviée par la moindre brindille, le moindre gravier, tandis que de loin le lanceur l'exhorte, l'applaudit, lui envoie des baisers :

« Un peu à droite !... Un peu à gauche !... Oh ! la belle ! la belle !... Comme je t'aime ! »

A la fin, les quilles volent, la boule fait *poum* contre l'arrêt. A moi de jouer. Au terme de chaque partie, le gagnant rafle les mises et m'accorde une gratification proportionnelle à son bon cœur. J'entasse ces gros sous dans mon boursicot : le 14 septembre, ils couvriront mes dépenses de foire.

A présent, je monte le chemin défoncé qui aboutit aux Salomons. Mon cœur se dilate. Mes narines aussi : des odeurs de fricot sortent des portes ouvertes. Je repense aux pommes de terre en salade et à ma petite sœur, nous nous reverrons un jour, sois tranquille.

« Bonjour, petitou ! me crie la tante Mariette en me voyant passer, une autre tata, beaucoup plus vieille, sœur de ma grand-mère paternelle, que j'ai horreur d'embrasser à cause de sa grosse lèvre aubergine. Tu reviens donc nous voir ?

— Un petit peu. »

Sa voix est tranquille, elle ne se doute pas qu'elle a devant elle un prisonnier évadé. J'arrive enfin chez ma tante Marie, celle qui toujours me répète, et surtout n'oublie pas ton pauvre père. Elle est bien surprise de ma venue, je lui explique ce qui s'est passé en me frottant les yeux pour faire croire que je pleure. Elle m'embrasse, j'enfonce ma figure dans son épaule.

« Elle m'a fouetté comme un âne !... Garde-moi.

— Bien sûr que je te garde. Tu resteras ici plusieurs jours. Le temps que tu voudras. Par chance, c'est les vacances, tu n'auras pas besoin de manquer l'école.

— Ne va pas dire chez moi que je suis ici. Il faut qu'ils croient que je suis mort. Comme ça, ils se feront du mauvais sang. Ça leur apprendra !

— Non, je ne dirai rien. Mais de faim que tu dois mourir au bout de cette longue marche ! »

L'instant d'après arrive son mari, l'oncle Simon, avec son panama, ses énormes moustaches, ses tympans obturés. Elle lui braille dans les oreilles la raison de ma présence. Il secoue la tête, pas trop content, mais ne dit rien. Avec bonheur, je reprends possession de ce que je vois, de ce que j'entends, de ce que je hume. L'horloge avec son aiguille unique, la table de bois épais, les bancs durs, l'escalier qui monte aux chambres, la senteur de la paille et des biques qui filtre sous la porte intérieure avec le chevrottement des cabris. Je m'assieds et nous mangeons ensemble « ce qu'il y a ». Pas grand-chose : de la salade verte ; des pommes de terre « rondes », c'est-à-dire bouillies avec leur peau, qu'on pèle et découpe dans l'assiette, assaisonnées d'un peu de sel fin ; au dessert, du chèvreton sec. Jamais de viande ici, jamais de lard, faute de pécunes. De l'eau claire comme boisson.

L'oncle, lui, s'abreuve d'un cidre abominable, aigre comme il n'est pas permis. Mais ce menu me convient ; la table de mes parents n'est d'ailleurs pas beaucoup plus riche ; si la chair y paraît, c'est sous la forme de mou (qu'ailleurs on donne aux chats) en civet, de fraise de bœuf en vinaigrette, de pot au feu ; la morue y vient plus souvent qu'en Carême. A quatre heures, j'aurai en plus une tartine de confiture. Chose inconnue rue Edgar-Quinet. Mais suis-je venu ici pour me remplir ?

Nous aurons aussi les œufs des poules et les ressources du jardin : dernières fraises, dernières pêches, premiers raisins. Et les mûres du mûrier. Car un vrai mûrier, souvenir de l'époque où l'élevage du ver à soie fut tenté dans la région, étend au milieu son immense ombrelle verte, bourdonnante de guêpes. Les mûres énormes pleuvent sur les allées et les teignent de leur encre. Il en tombe aussi quelques-unes dans nos assiettes.

Et puis les champignons, dont ma tante est une fervente cueilleuse, ceux du printemps, ceux de l'été, ceux de l'automne. Fils de la pluie et de la rosée, ils appartiennent à qui se baisse pour les prendre. Elle en vend une partie, nous fait consommer le reste.

Sous la fenêtre de ma chambre, au-delà du jardin, s'étend une douce combe tapissée de vert. Elle remonte plus loin vers la montagne de Pissebœuf, de Chassignol, de Chauchat. Devant moi, bée la gueule noire d'un tunnel d'où je vois jaillir quelquefois un train environné de ses vapeurs, avec aux portières des voyageurs qui me saluent du bras ; il me donne l'envie de partir moi aussi en voyage de l'autre côté de la terre, là où les hommes et les femmes marchent la tête en bas sans le savoir.

La maison de ma tante n'est pas seulement mon refuge. Elle est aussi celui de mon oncle Annet, célibataire de trente-cinq ans, domicilié à Clermont, mais que son métier d'ouvrier-déménageur pousse souvent hors de chez lui. Chaque fois que je le rencontre, il m'ouvre ses bras et son porte-monnaie, me comble de cadeaux, me donne un jour sa montre, une autre fois sa bicyclette ; s'il ne me donne pas sa chemise, c'est qu'elle n'est pas encore à ma taille. Un optimiste inébranlable, toujours la pêche fendue d'un large sourire. Raison sans doute qui lui a permis de traverser sept ans de services militaires, au Maroc d'abord, puis dans les tranchées de France, sans une égratignure, alors que deux de ses frères y laissaient leur peau, qu'un troisième, Pierre, y était blessé grièvement. Il a rapporté de ses campagnes un véritable arsenal qu'il a installé chez sa sœur, et précisément dans la chambre où je couche. J'y dors donc au milieu des casques, à pointe ou sans pointe, des coupe-choux, des Lebel, des Mauser, des poignards de nettoyeur, des cartouchières, accrochés aux murs ou posés çà et là. Il y a surtout une terrible baïonnette allemande à dents de scie. Sans compter deux ou trois fusils de chasse, une malle remplie de pistolets et de munitions diverses. Il va de soi que, lorsque je me trouve seul, j'adore jouer avec cet attirail.

Un matin de l'année précédente, installé devant la fenêtre ouverte, j'étais ainsi en train de manœuvrer un fusil à broche, que je m'employais à charger. Un de ces engins qui se cassent en deux comme un bâton. Me voici glissant les cartouches dans la culasse, la refermant d'un coup sec. *Rrrran !* Contre ma joue, je sentis passer le vent de la double décharge. Sans m'en rendre compte, j'avais armé les chiens, pressé sur les détentes ; mon ange gardien avait eu à peine le temps de détourner les plombs de ma tête. Un long moment, je demeurai étourdi, serrant les canons chauds entre mes doigts, me demandant si j'étais mort ou vivant. Après cette réflexion, je décidai que j'étais vivant, mais que j'aurais dû être mort. Je recouchai l'arme dans la malle. Après quoi, la cervelle encombrée de pensées funèbres, je résolus d'aller m'enterrer moi-même au fond du jardin. Pour voir l'effet produit. Je choisis un endroit où le sol me semblait meuble et facile à creuser. Un bout de bois fut mon cercueil, sur lequel je gravai au couteau mes initiales : *J. A.* Quand il fut à la bonne profondeur et bien recouvert, je confectionnai une croix avec deux bâtons, que je plantai juste au-dessus de mon ventre supposé ; en guise de couronne mortuaire, je dénichai un vieux cercle de tonneau. Je m'agenouillai près de cet assemblage, récitai quelques prières et m'éloignai d'un pas lent, ému d'avoir assisté à mes propres funérailles. Autour de moi, j'imaginais les réflexions de la foule, ce n'était pas un mauvais garçon, mourir si jeune, d'un coup de fusil, quelle pitié.

Le lendemain, encore dans mon lit, j'entends au-dessous, venant de la cuisine, un bourdon de voix : celles de mes oncle et tante. Je me lève en pans de chemise et tends l'oreille à la porte de l'escalier. J'écoute Simon décrire en patois ma sépulture :

« Y a une croix. Y a un cercle de tonneau posé dessus. Et tout ça en plein dans mon semis de melons ! »

Et elle : « Qu'est-ce que ça veut dire ?

— Je me le demande bien. Mais il aurait pu, bon sang, choisir un autre endroit ! »

Or quand je descendis, très inquiet de ce qui allait m'arriver, tous deux me considérèrent aussi inquiets que moi, semblait-il, et personne ne pipa mot. Un peu plus tard, je me rendis compte que ma tombe avait été profanée, la croix arrachée, la couronne enlevée, la terre rendue à sa destination première. Mon cercueil et mes initiales fumèrent les melons à venir. Jamais aucune explication ne fut demandée ni fournie.

Cette première nuit de ma fugue, les circonstances sont tout autres. Dans l'ombre plus qu'au jour, ma chambre sent les pommes sures et le bois raboté, grâce à l'établi de l'oncle qui en occupe un large coin. Je peine à m'endormir car j'imagine le bazola qui doit se jouer dans ma famille à cause de mon absence. A moins qu'on ne soit bien aise d'être débarrassé de moi, puisque personne ne m'aime, excepté ma petite sœur ; puisqu'on m'y fouette comme un âne. Je pleure un peu dans mon oreiller, jusqu'à ce que le sommeil ait raison de mon chagrin.

Le lendemain, Marie m'accueille seule dans la cuisine.

« Si tu veux, me propose-t-elle, nous irons aujourd'hui voir ma belle-sœur, ta tante Mathilde, à Mondeviolle. »

Veuve de mon oncle Claude, auquel elle restera obstinément fidèle jusqu'au terme de sa longue vie, je la connais peu. Voilà une bonne occasion de la connaître davantage. Nous partons munis d'un panier vide, que nous remplirons de champignons en cours de route. Inutile de lui apporter des chèvretons car elle a aussi des chèvres, des œufs car elle a aussi des poules. Mais les champignons sont toujours bons à offrir. Trois heures de marche, peut-être davantage, par monts et vaux, pâturages et raccourcis, éteules et friches, avec arrêts continuels pour la cueillette. A Pont-Astier, que je connais bien pour y avoir souvent pelleté du sable, il n'y a pas de pont malgré l'appellation ; il nous faut donner dix sous au passeur afin qu'il nous transporte dans sa barque, accroché à un câble, de l'autre côté de la Dore. J'éprouve le besoin de me vanter :

« Si j'étais seul, je pourrais traverser sans barque : je sais nager.

— Tu sais nager ! Et où donc as-tu appris ?

— A Pont-de-Dore. Avec des copains.

— A Pont-de-Dore ? Dans la rivière ?

— Oui, bien sûr, dans la rivière.

— Voyez de ce petit ! »

Après l'eau, on repart à pied sec. Marche que marcheras-tu. De loin en loin, ma tante demande sa route à des personnes de rencontre :

« Mondeviolle, commune d'Orléat, est-ce que nous sommes sur le bon chemin ?

— Tout à fait, pourvu que vous suiviez toujours la route de Maringues. Prenez ensuite le quatrième chemin à main gauche.

— Grand merci. »

En attendant, notre panier se remplit peu à peu. Je commence à traîner la patte.

« Tu verras, prophétise-t-elle, que la Mathilde nous en fera une bonne omelette. Et puis, je suis sûre qu'il y aura de la confiture de prunes. Et peut-être de la *pompe*. »

Elle me soutient de la sorte le moral et les forces. Nous entrons enfin dans Mondeviolle, qui rassemble sa dizaine de maisons en pisé autour d'un étang empanaché de roseaux fleuris. Et la Mathilde nous accueille de ses exclamations :

« Mais qui c'est que je vois !... Oh ! nom de gueux de nom de gueux ! Depuis le temps que je t'attendrais ! Mais quelle bonne surprise !

— Y en a même deux : je t'amène le petit du pauvre Jean et de la Célestine.

— Si tu me le disais pas, jamais je l'aurais reconnu ! A-t-il grandi, ce petitou ! A-t-il grandi !... Et en plus, vous m'apportez des champignons ! On va en faire tout de suite une bonne omelette. Justement, j'ai des œufs frais. »

Tante Marie me lorgne en souriant. Tout le monde

se met à monder les chevaliers, les mousserons, les boules de neige. Et l'ail. Et le persil. La graisse douce grésille dans la poêle, la cuisine se remplit de senteurs délicieuses.

« Mais racontez-moi ! Mais racontez-moi !

— Après, quand nous aurons mangé. »

En attendant, elle nous fait visiter la minuscule maison où elle vit seule depuis son veuvage : la petite cuisine, le petit escalier, la petite chambre, la petite grange ; en face, la petite étable aux chèvres, le petit poulailler. Il n'y manque que les Sept Nains. L'oncle Claude nous regarde de son cadre ; je note sa ressemblance avec mon père, le menton carré, les lèvres fortes, la moustache, les yeux bleus. Les deux femmes évoquent leurs souvenirs. Le vieux Jean Anglade, mon grand-père tout rebuseux, tout gâteux à la fin de son âge, qui enjambait les fossés de ses longues pattes pour venir lui rendre visite et qui n'ayant rien d'autre à lui apporter et ne voulant pas arriver les mains vides, arrachait deux ou trois échalas de sa vigne pour lui en faire présent. Les farces d'Annet dans son enfance : un jour, il réussit à faire manger à sa sœur une crotte de brebis roulée dans la farine en disant : « Tiens, une *guenille !* » Mathilde ajoutait à son propos :

« Tu sais, il est passé par ici la semaine dernière. Il passe, mais ne reste pas. Il m'a apporté un jambon et m'a laissé son linge à laver. »

Elle montrait en riant des chemises et des caleçons étendus sur une ficelle, les voisins me demandent si j'ai pris un autre homme, risque pas de rien.

Pour finir, il faut bien expliquer ma présence. La Marie raconte ma fugue. La Mathilde écoute gravement et donne ce conseil :

« Tu dois avertir sa mère, la Célestine. Tu n'as pas le droit de la laisser dans l'inquiétude.

— Simon s'en est occupé.

— Vous avez bien fait. Ce petit, il faudra le rendre, naturellement.

— Naturellement. »

Nous mangeons l'omelette aux champignons, du jambon sec, du fromage frais et de la confiture prophétisée. Nous buvons une goutte de vrai vin et le café d'orge grillée en fin de course, dont on fait fondre le sucre avec le manche de sa fourchette. Dès trois heures, il nous faut repartir à cause de la longue marche, emportant d'autres tranches de jambon et une tablette de chocolat. Dans les années qui suivront, je rendrai de nombreuses visites à ma tante Mathilde ; et je finirai par en faire, avec quelques modifications, la populaire héroïne de deux de mes romans, *Une pomme oubliée* et *Le tilleul du soir*. Elle sera incarnée au petit écran par Andrée Tainsy et sa pauvre histoire de solitude exportée dans une dizaine de pays européens, tant capitalistes que socialistes. Elle mourra à l'âge de quatre-vingt-seize ans, veillée toujours par le portrait miniature du « pauvre Claude » sur sa table de nuit.

Je revins donc aux Salomons. L'oncle Pierre m'y attendait. Celui-ci, frère jumeau d'Annet, exerçait à Thiers, dans la ville basse, le métier de jardinier. (On ne disait pas encore « horticulteur ».) En outre, il était officiellement investi à mon égard des fonctions de « tuteur ». C'est pourquoi, dès qu'elle s'en était aperçue, ma mère en larmes avait couru l'avertir de ma disparition. Informée de proche en proche, toute ma parenté paternelle et maternelle s'était mise à ma recherche. On m'avait corné aux quatre coins de la ville sans résultat ; on avait sondé la Durolle des yeux : il y flottait un chat crevé, mais point de Jean Pétaret. Aucun orphelin en fuite n'était signalé nulle part. L'oncle Simon, chaussé de ses gros sabots, arriva des Salomons le lendemain à la pique du jour et donna de mes nouvelles. Aussitôt, mon oncle-tuteur grimpa la rue du Pavé et se rendit chez mes parents. Il y eut entre eux je ne sais quel conciliabule, quelles conventions. Toujours est-il qu'il poursuivit sa course jusqu'aux Salomons et attendit notre retour de Mondeviolle. Il me dépeignit le chagrin de ma mère, les larmes de ma petite sœur, me promit l'impunité. Je passai néanmoins une seconde nuit dans la chambre-arsenal et ne rentrai au bercail qu'après cinquante heures d'absence. Aucun reproche ne me fut adressé.

Durant quelques jours, chacun me parla avec une douceur respectueuse ; ce n'étaient que des *m'ami* par-ci, des *mon garçon* par-là. Ensuite, peu à peu, les vieilles habitudes reprirent le dessus, les gifles recommencèrent leur ra-ta-plan et je replongeai dans ma conviction profonde : « Ma mère ne m'aime pas. » Puisqu'il en était ainsi, je choisis de devenir odieux. Une nuit, je jetai du papier enflammé par la fenêtre pour produire un feu d'artifice. Une autre, j'allai en cachette au *Fémina*, comme j'ai raconté, voir Double-Patte et Patachon. Je m'exerçai au lancement du poignard contre la porte de ma chambre. Je pêchai dans leur bocal des cerises à l'eau-de-vie. Je mis en route tout seul le camion américain garé sous le Marché couvert et le fis tourner en rond pendant une demi-heure. Je m'enfonçai un épillet de chiendent dans une narine, si haut qu'il fallut recourir au Dr Pourreyron pour me le retirer. Je courais dans la rue comme un sauvage sans ralentir aux carrefours, et passai près une ou deux fois de me faire happer par une voiture. Bref, je jouais avec ma vie, sans éprouver complètement la tentation du suicide.

Et puis, un matin, ma conviction profonde en un instant s'évanouit. Je vis, je sus, je crus, je fus désabusé. Ce jour-là, Célestine s'était montrée plus énervée qu'à l'ordinaire, pour les raisons habituelles que je ne veux pas rappeler. Le repas de midi était en retard, les hommes allaient venir affamés comme des loups, assoiffés comme des dromadaires. Quand je rentrai de l'école, je la trouvai seule près de la table encombrée de vaisselle sale, en train de peler des pommes de terre sur ses genoux qu'elle arrosait de temps en temps de ses larmes. Elle m'invita à l'aider. Sans doute n'accourus-je pas assez vite ; elle eut alors vers le ciel un geste d'exaspération. Le couteau affilé qu'elle tenait à la main me trancha le côté du poignet droit et l'ouvrit jusqu'à l'os. Heureusement sans toucher l'artère. D'abord stupéfaite, puis épouvantée, elle se précipite sur moi, le couteau roule sur le plancher, elle se traite de tous les noms, criminelle, assassine, mère indigne, m'embrasse les cheveux, le visage, les mains comme si elle allait me perdre dans l'instant, me demande pardon de son crime, oublie même dans sa détresse de me soigner. Moi, étourdi de ce qui m'arrive, je regarde la fente quasi insensible qui bâille comme une bouche et saigne à peine, je distingue au fond le cubitus brillant et rosé. Étourdi de bonheur surtout, car je sais à présent, ma mère, que tu m'aimes. Comment ai-je pu croire le contraire si longtemps ? Ne m'as-tu pas assez donné de témoignages d'affection dans ta pauvre et difficile existence ? Même tes calottes, je le vois maintenant, sont des calottes d'amour. Plus jamais il n'y aura entre nous de malentendu à ce propos. (Je crois bien d'ailleurs qu'après cet accident tu cessas définitivement de lever la main sur moi.) Nous irons en accord parfait nos chemins parallèles ; et, quand ils divergeront, notre amitié n'en deviendra que plus profonde. Je verrai que tu te rapetisses à mesure que je grandis : toi qui me semblais immense autrefois n'atteindras bientôt plus que mon épaule. Par une réserve tout auvergnate, je ne te dirai jamais mes sentiments ; les comprendras-tu quand même, ô bien-aimée ?

Ce jour-là, il fallut donc m'emmener encore raccommoder au Dr Pourreyron qui me posa des agrafes.

Quelques mois plus tard, un malheur authentique me frappa dans mes affections : je perdis ma grand-mère maternelle.

De la mort, je n'avais qu'une idée abstraite : mon père et mes oncles s'étaient évanouis en fumée sans laisser derrière eux trace de leur personne de chair, excepté le paletot bleu marine que j'avais porté dans ma petite enfance. Je fis vraiment sa connaissance au fond de la rue Conchette, dans une mercerie devant laquelle se tenait un petit attroupement. Comme je passais par-là, intrigué de tant de monde, je me faufilai entre les jambes, réussis à pénétrer dans le magasin. Là, assise sur une chaise, une bonne vieille en coiffe tuyautée me regardait fixement, muette, immobile, les mains crispées sur sa canne. « Elle est morte, chuchotait-on. D'une embolie. » Morte ? Vraiment morte ? Comme ça, soudainement, sur une chaise, les yeux ouverts ? J'avais peine à le croire. Pour moi, comme la Première communion, la mort s'accompagnait d'un grand cérémonial, maladie, médecins, prêtre, enfant de chœur et sonnette, famille rassemblée autour du moribond comme dans la fable *Le laboureur et ses enfants*. Et voilà que cette vieille était partie en un clin d'œil, à la bonne franquette.

Pour ma Grande, les choses se firent selon les règles. Une première fois, elle tomba malade chez nous, rue Edgard-Quinet, et coucha dans mon lit, tandis que je trouvais refuge dans la chambre parentale. Elle ne demanda point le médecin, mais réclama le prêtre. On appela les deux. Rien ne lui fut ménagé : ni les briques chaudes, ni les ventouses, ni les sinapismes, ni les frictions à l'eau-de-vie. Sitôt rentré de l'école, j'accourais lui tenir compagnie. Elle posait sur ma tête ses doigts maigres, tordus par les rhumatismes, et fredonnait d'une voix presque inaudible une chanson patoise de sa jeunesse, dont elle répétait inlassablement les deux premiers vers :

Noù sò vi sen,
Mo maridada, mo maridada...
Neuf sœurs nous sommes,
Mal mariées, mal mariées...

D'autres fois, elle avouait devant tout le monde : « Je suis bien contente de mourir. Comme ça, je vais retrouver mes pauvres enfants qui sont partis avant moi. Et même ce coquin de Jacques Évêque qui m'en a tant fait voir de son vivant ! Sauf s'il est en enfer, et moi en purgatoire. »

Les soins cependant firent quelque effet ; elle entra dans le mieux. Revint la période bénie de nos nouveaux tête-à-tête. Parfois, elle m'interrogeait sur mes études, sans rien comprendre aux réponses que je lui faisais :

« Qu'est-ce donc que tu as appris aujourd'hui ?

— Le participe passé.

— Le quoi ?

— Le participe passé.

— Bonne Vierge ! Comme tu es savant ! »

Un jour que je voulus, par jeu, sonder son ignorance, je lui demandai, parlant du président de la République alors en fonction :

« Oh ! Grande ! Savez-vous qui est Gaston Doumergue ?

— *Me, i m'imalhe pè d'ocu amplèni.* Moi, je ne me soucie pas de ces vauriens. »

Mot qui fit bien rire, quand je le rapportai, la famille, le quartier et la moitié de la ville. Elle guérit enfin et, ayant repris des forces, retourna tranquillement aux Bonnets où elle passa toute la belle saison.

L'hiver suivant, rechute. Soignée par son fils Benoît et sa bru la Bournillasse, elle traîna deux mois entre la vie et la mort. Je la vis dans ce triste état, enfoncée au creux de son oreiller, et c'est à peine si elle me reconnut. Quelques jours plus tard, elle mourut ; je me rappelle encore avec douleur sa pauvre figure serrée dans une coiffe solidement nouée sous le menton, ses lèvres et paupières hermétiquement closes. On l'enterra au cimetière d'Escoutoux, sous de hauts sapins noirs.

Les dix jours qui suivirent, je ne cessai de pleurer, sauf pour dormir un peu. Bonne Vierge ! Je dus bien verser comme ça un décalitre de larmes ! Je pleurais dans ma soupe, je pleurais en classe sur mes livres, je pleurais pendant les récréations et même en jouant aux billes, les autres me comprenaient et m'excusaient, se disant entre eux, il vient de perdre sa grand-mère. Malgré tout, conscient de mes devoirs, je m'efforçais d'honorer le jeu et de défendre au mieux mes positions. Ensuite, peu à peu, ma douleur se tarit et resta close dans mon cœur, plus tard accumulée sous d'autres comme des piles d'étoffes sombres dans une armoire.

Mon oncle Annet avait acquis une si longue familiarité avec les armes à feu qu'il ne sortait jamais sans son parabellum. Comme d'autres jamais sans leur parapluie. Il racontait de quelle manière il l'avait conquis :

« C'était en 17. J'avais eu deux frères tués et un troisième gravement blessé. Alors, je me foutais pas mal de ma propre vie. Quand j'ai sauté dans la tranchée de ceux d'en face, il restait un officier boche appuyé au parapet, le ventre ouvert, son pistolet à la main et gueulant comme un âne. Attends, que je lui dis, je m'en vais te guérir ! Je lui prends son arme et je lui brûle la cervelle. »

Là-dessus, il éclatait de rire, avec cette belle inconscience qui l'avait sauvé et qui, dans ma chambre-arsenal, avait failli me perdre.

Les samedis d'automne, il débarquait le soir chez ma tante Marie où je l'attendais, avec sa bonne figure réjouie, ses dents noires, sa chique dans le creux de la joue. Il crachait une giclée de jus, me prenait la nuque dans sa main et me frottait la figure au papier de verre de ses joues :

« Demain, on va chasser ensemble ! »

Et zaf ! une autre giclée. C'est incroyable ce qu'il pouvait distiller chaque jour en jus de nicotine. A cette époque, l'usage de la chique était beaucoup plus répandu qu'aujourdhui ; les hommes l'avaient rapporté du front, où la nuit, le point de feu des cigarettes attirait les balles ennemies. Mais lorsque quelqu'un en offrait une à mon oncle, il ne la refusait point, on ne doit pas refuser ce qui vous est offert de bon cœur ; il la plaçait entre ses lèvres et, progressivement, commençait de la manger, papier et tabac, comme un bâton de sucre d'orge.

Les préparatifs commençaient par la confection des cartouches, la veille, sous la lampe. Penché avec respect vers l'opérateur, je le voyais remplir les cylindres de poudre noire, de grenaille de plomb, d'étoupe, sceller avec un petit moulin, garnir la cartouchière. Rites minutieux, traditionnels, autour desquels flottait déjà l'image des victimes, et qui n'étaient pas sans me rappeler les gestes du célébrant avant la manducation de l'hostie.

Le matin, mon oncle me bardait de musettes.

« Si tu trouves des champignons, recommandait la tante, ramasse seulement ceux que tu connais bien : les rosés et les pisse-sang. »

En ce domaine, ma science n'allait pas si loin que la sienne : rosés au doux chapeau de velours blanc ; pisse-sang ainsi nommés parce qu'une sève rouge s'en écoule quand on les brise, faciles à meurtrir, bleuissants sous les doigts comme une chair d'enfant, auxquels les botanistes donnent le nom moins expressif de « lactaires délicieux ».

Nous partions donc au petit jour, dans l'herbe accablée de rosée. Derrière nous, nos pas laissaient un sillage aussi visible que dans la neige. Alors, alors commençait ma gloire ! Annet me laissait porter son fusil ! Non point un objet vide et inoffensif : une arme vraie, prête à cracher le feu, deux cartouches de douze dans la gorge. A mon épaule, je sentais le poids de cet instrument foudroyant, avec un mélange de crainte et d'orgueil. Le moment venu, l'oncle m'arrêtait de la main, saisissait la crosse d'un geste précis, épaulait, visait, tirait. Il avait l'œil infaillible et abattait lièvres, lapins, perdrix sans gaspiller une seule cartouche. Derrière, je ramassais les douilles vides, humais avec délices la bonne odeur de poudre brûlée ; j'en remplissais mes poches. En fin de journée, il vendait le produit de sa chasse à des collègues malchanceux ou maladroits, ne gardant qu'une pièce pour sa sœur, et me versait scrupuleusement la moitié de la recette :

« Faut bien ! s'excusait-il en clignant de l'œil, puisque toi et moi, on est associés ! »

Quant au parabellum qui gonflait sa veste, il ne le sortait jamais que pour le montrer aux curieux et expliquer, si on le lui demandait, comment il était venu dans sa poche. Selon son rituel à lui : d'abord éclater de rire, ensuite cracher du jus, enfin raconter. L'objet présentait, gravée sur son flanc, la devise romaine à laquelle il devait son nom : *SI VIS PACEM PARA BELLUM.* Ce qui ajoutait à mes modestes connaissances latines.

Ma mère avait trois autres frères et une sœur : François, Benoît, Jean-Marie et Marie-Jeanne. Le premier vivait à Sapt, près d'Escoutoux, travaillait la terre, faisait des enfants ; mais, je ne sais pourquoi, nous avions peu de relations avec lui ; sans doute parce que, aîné des six petits Évêques, il avait quitté très tôt le bercail et n'y était guère revenu. Le second, qui montait des couteaux aux Bonnets, rendait un peu trop souvent visite à son tonneau, dans la cave contiguë. Tout en jouant du faux violon, il fredonnait une chanson aussi bonapartiste que la mouche qu'il portait sous la lèvre, par laquelle je sus que Napoléon eût mérité mieux que moi le surnom de Pétaret :

L'empereur d'Autriche a dit
Au roi de Prusse son ami :
« Baise mon cul, la paix sera faite,
Chibreli, chibrela, chibrelette. »

Le roi d'Prusse a répondu :
« Je n'veux pas baiser ton cul.
La paix donc sera point faite.
Chibreli, chibrela, chibrelette. »

Napoléon leur dit : « Bien !
Vous baiserez tous deux le mien,
L'un-z-à gauche, l'autre à drète.
Chibreli, chibrela, chibrelette. »

Le grand Lexandre est venu
Voir baiser ce fameux cul.
Il en a mis ses lunettes,
Chibreli, chibrela, chibrelette.

Un pet sortit de son cul
Qui les a tous confondus :
Ils ont battu en retraite,
Chibrili, chibrela, chibrelette.

Au refrain, je ne manquais pas de répeter avec lui

en tapant dans mes mains : « Chibreli, chibrela, chibrelette ! »

Benoît possédait aussi quatre vaches maigrichonnes qui lui permettaient de cultiver quelques arpents de seigle ou de patates. Sa femme, la Bournillasse, mettait son point d'honneur à être malade du Jour de l'An à la Saint-Sylvestre, et toujours plus que la personne qui osait se plaindre devant elle :

« Si vous saviez, ma pauvre, comme je souffre de l'estomac !

— Et moi donc ! Ah ! je changerais volontiers mon estomac contre le vôtre ! Chaque bouchée que j'avale est un martyre... »

Et ainsi de suite.

Le troisième, Jean-Marie, vit à Thiers, rue du Pavé, non loin de Pierre Anglade, mon oncle-tuteur, en compagnie de sa femme Bisorine, de son fils Vincent, de sa fille Eugénie. Monteur coutelier lui aussi, c'est l'homme le plus tendre du monde, quoiqu'il ait essayé un tout petit peu jadis d'étouffer sa sœur nouveau-née dans son berceau. Quand ils entrent en querelle, ma mère le lui reproche vivement :

« Tu as voulu te débarrasser de moi qui n'avais que quelques jours, bonnes gens. Assassin !

— Mais non, mais non ! proteste-t-il, les yeux humides. C'était seulement un geste de colère. Tout de suite après, j'ai retourné le berceau. Tu vois bien que tu es encore vivante ! »

Je fréquente assidûment sa maison, attiré par mes deux cousins ; j'y partage même certains soirs le lit de

Vincent, sous les salaisons suspendues aux poutres, dont je garderai toujours dans les narines la bonne odeur de saucisson rance. Le rêve de cet oncle est de me voir un jour épouser sa fille, qui a exactement mon âge :

« Quand vous serez mariés, vous aurez une petite maison à la campagne. Moi je viendrai travailler votre jardin et casser votre bois. Et je ne te demanderai aucun autre salaire qu'un canon et, de temps en temps, un paquet de tabac à priser. »

Moi, je ris sans rien promettre, n'éprouvant aucun penchant pour Eugénie, en qui je vois une sœur plutôt qu'une fiancée.

Comme la plupart des Thiernois de cette époque, il a un esprit de bouffon et fait rire sa famille par toutes sortes de pitreries, grimaces, répliques inattendues. Chaque matin, il insulte le fourneau qui ne veut pas prendre, et avaler sa fumée dans le dû :

« Prendras-tu, charogne ! Prendras-tu ! »

Après quoi, il en vient aux voies de fait et tambourine le tuyau de son pique-feu, si bien qu'à la longue le pauvre tuyau n'a plus figure humaine. Un jour qu'il a émietté du pain dans un bol de vin sucré pour préparer sa soupe de prédilection, il réclame à sa femme Bisorine :

« Verse-m'en d'autre. Ce salaud de pain a bu tout mon vin ! »

Pour l'amour du vin, il cultive une vigne du côté de Cizolles et nous invite tous aux vendanges. Mon beau-père prête un cheval et un camion pour transporter les *bacholles*. Le soir, les hommes déculottés piétinent le raisin dans la cuve. Après quoi, nous dansons au milieu de la rue une bourrée à laquelle participe le voisinage, sans aucun instrument de musique, entraînés par la voix de ceux qui chantent :

Lou Icotolà
Mouijon pè de belhoda ;
Lou Icotolà
Mouijon mè de patchà[1].

Lui aussi abuse de la bouteille : le vice est à peu près général chez les hommes de la région. Un jour qu'il a, comme on dit, chargé à en faire péter l'essieu, il dégringole l'escalier, s'ouvre la peau du crâne comme avait fait Jacques, son père, en revenant d'Escoutoux. A l'hôpital, on s'emploie à la recoudre. Quelques jours plus tard, il demande à rentrer chez lui.

« Rien ne presse, père Chaleron, répondent les bonnes sœurs. N'êtes-vous pas bien ici ? Pas bien soigné ?... Profitez-en pour vous reposer, ce qui ne doit pas vous arriver souvent. »

Sans doute espèrent-elles lui faire perdre le goût de la chopine. Comme il insiste cependant, elles se fâchent et lui défendent de sortir.

« Je sortirai quand même !

— On va bien voir ! »

1. Les gens d'Escoutoux / Ne mangent pas des bouillies ; / Les gens d'Escoutoux / Ne mangent que du *patcha*.

Pour l'empêcher, elles lui emportent ses culottes. Ah ! c'est comme ça ? Elles me connaissent mal ! Il s'échappe sans culottes et redescend chez lui en caleçons. Toutes les têtes sont aux fenêtres pour le regarder passer. Il retourne vers sa famille, vers sa « boutique », vers son tonneau.

La sœur unique de ma mère, tante Marie-Jeanne, avait épousé un homme beaucoup plus sérieux, métayer à Matussière. On le disait un peu « cul de brebis », c'est-à-dire avare plus qu'il n'est tolérable. Les ressources du métayage lui permettaient à peine d'élever ses sept enfants, et son sens de l'épargne lui était d'ailleurs bien nécessaire. Ce qui ne l'empêchait pas de recevoir de temps en temps une bouche de plus, une bouche inutile, la mienne. Oh ! je ne coûtais pas cher à nourrir ! Mais le beau de la chose était pour moi qu'on me faisait coucher dans l'étable, derrière la queue des vaches, dans une caisse remplie de paille et de punaises, où je dormais pourtant comme un Jésus. Au début, le gros derrière des bêtes m'effrayait un peu ; mais ensuite j'en pris l'habitude, de même qu'à leur comportement sans manières, au ruissellement de cataracte qu'elles produisaient parfois, au *flac* puissant de leurs bouses tombant sur la litière. Je n'intéressais guère les six cousines de cet endroit, toutes mes aînées de cinq à dix ans ; mais le dernier né, Léon, plus près de moi par l'âge, m'emmenait pêcher les grenouilles et les écrevisses.

Je n'eus pas le bonheur de connaître longtemps la

pauvre tante Marie-Jeanne, car elle mourut d'une fluxion de poitrine mal soignée. On aurait bien appelé le médecin ; mais ses visites coûtaient les yeux de la tête. Lorsque enfin l'on s'y décida, il arriva pour recueillir son dernier soupir. Quelques années plus tard, le métayer partit à son tour. Il eut des funérailles dignes de lui : avant même qu'il ne fût emporté par le corbillard, ses gendres fouillèrent les meubles, à la recherche d'or, d'argent, de bijoux, de montres, et se partagèrent ses dépouilles sur son cercueil. Le repas de « consolation » fut plutôt joyeux, l'un des gendres se leva même avec l'intention d'en pousser une. Il se fit rabrouer vertement par le mari de la Tonine, qui était l'aîné, le plus instruit, le plus digne :

« *Mangez bien, buvez bien si vous voulez. Mais surtout ne chantez pas. Car nous sommes ici dans un repas funébraire !* »

Ainsi s'en alla le vilain métayer, sans pleurs ni couronnes.

Mes amis, mes amours.

Mon royaume était formé de la rue Edgar-Quinet tout entière et de son prolongement, « chez les Cochons » ; il confinait en haut avec la rue de Lyon, par où descendaient les régiments en manœuvres, en bas avec la route de la Vallée et le chemin des Industries. Chaque matin, des ouvriers l'empruntaient dans un sens ou dans l'autre, balançant au bout de leur bras un bidon d'émail rouge rempli de soupe. Le soir, ils revenaient en sens inverse, lourds de leur peine, le visage et les mains mâchurés. Mais sur tout son parcours la rue était industrieuse ; au 16 grondait un atelier de forge et découpage ; au 13, malodoraient le collage et la trempe ; au 20 c'était le nickelage ; à la jointure de la rue et de son prolongement, la grande usine Roddier-Roddier d'estampage ébranlait le sol de ses marteaux-pilons. Sans parler de plusieurs « boutiques » de monteurs, comme celle de M. Roddier-Brunel, qui était en même temps épicerie et débit de boissons ; fréquemment, le patron en personne, assis sur une chaise de paille, grillait le café devant sa porte dans un brûloir cylindrique dont il tournait la manivelle trois tours à gauche, trois tours à droite, immuablement ; l'arôme s'en répandait jusqu'à mes frontières. A toutes ces fortes senteurs, les percherons de mes parents ajoutaient le parfum du crottin et de la sueur chevaline.

Beaucoup de monde gravissait et dévalait la rue. Des piétons, des charrettes, des tombereaux et même quelques automobiles. Le facteur, M. Bigay, avait un bandeau noir sur l'œil, comme un corsaire. Je lui en demandai la raison :

« Pourquoi tu portes cette affaire ?

— Parce que j'ai perdu un œil.

— Où çà ?

— A la guerre.

— Et tu l'as pas cherché ?

— Je l'ai bien cherché, mais je l'ai pas trouvé. »

Dominique, dit Minique, répareur d'horloges et de réveils dont il transportait sur son échine une pleine hottée. Les gamins lui jetaient des pierres parce qu'il était barbu et sale. Un jour, une bande de galapiats — dont je n'étais point — lui firent un croc-en-jambe. Et voici notre homme qui s'étale, les réveils qui se répandent, les ressorts et les rouages qui s'éparpillent. Et personne pour l'aider à ramasser tout ça.

Bouquillon, un clochard qui buvait de la charité publique et dormait à la grâce de Dieu. Un jour, je le découvre affalé entre les pattes de nos chevaux, je cours avertir la personne adulte la plus proche, M. Roddier-Brunel :

« Bouquillon est mort ! Je l'ai vu sous nos chevaux, dans la paille !

— Eh ! bien ! s'il est mort, on va aller le ramasser. »

Il sort avec son tablier bleu sur le ventre, sa casquette à visière vernie sur la tête. Le clochard n'a pas bougé d'une ligne, mais les percherons écartent les jambes tant qu'ils peuvent pour ne pas le piétiner. Nous nous apercevons alors que le gaillard n'est pas mort le moins du monde, mais occupé à cuver son vin.

Bamboula, une autre figure de premier plan, ne travaillait guère que les trois jours de la foire du Pré, engagé dans une baraque foraine pour offrir sa trogne, barbouillée de noir, aux lanceurs de tomates pourries. Trois tomates pour vingt sous.

« Cassez-y la gueule ! » encourageait la patronne.

Le reste de l'année, il fumait sa pipe place de l'Hôtel de Ville, assis sur une murette, en tenant des discours philosophiques.

En fait d'automobile, je me rappelle surtout l'Hotchkiss de M. Roddier-Roddier, avec ses deux canons croisés sur le radiateur, qui grimpait la pente en nous éclaboussant de son luxe et de son vacarme. Seuls les riches bourgeois possédaient alors une voiture. Les autres allaient à pied ou à bicyclette. C'était mon cas, grâce à celle dont m'avait fait présent mon oncle Annet. J'appris à la monter le long de cette rue en pente, sans trop d'accidents, excepté une chute dans un fossé tapissé d'orties dont je pus m'extraire grâce au secours de mes copains, mais avec un visage transformé.

La mère Lugnier, la boulangère de la rue de Lyon,

allait livrer son pain aux clients trop importants pour accepter de se rendre eux-mêmes jusqu'à sa boutique, ou bien à ceux que l'âge, les infirmités immobilisaient. Elle enfilait chaque bras dans trois couronnes, en échafaudait cinq autres sur sa tête, et passait en cet équipage, bien embarrassée.

« J'espère que vous ne craignez pas les chatouilles, mère Lugnier ? lui demandaient certains farceurs en avançant des mains menaçantes.

— Attention ! J'ai encore les pieds disponibles ! Alors, je vous conseille pas d'essayer ! »

Au sommet de la rue vint habiter le Dr Bard, le premier chirurgien qui eut l'audace de s'établir à Thiers de façon permanente. Avant lui, les malades assez fortunés pour s'offrir un voyage, un séjour à l'hôpital et une opération allaient se faire ouvrir le ventre à Clermont ou à Vichy ; les autres mouraient à la bonne franquette. Nous le fournissions en charbon et bois de chauffage. Il nous rendit même visite en une occasion qu'on pourrait croire inspirée de Molière. A la suite d'un conflit domestique comme il en éclatait si souvent, Célestine avait résolu de ne plus desserrer les lèvres quand son mari lui adresserait la parole. Il y eut ainsi chez nous plusieurs jours de mutisme. Un matin, mon beau-père s'en va trouver le Dr Bard et lui raconte avec tristesse :

« Ma pauvre femme ne parle plus. Ça l'a prise brusquement. Pas moyen de lui arracher un mot ! Est-ce que vous ne pourriez pas venir l'examiner, Monsieur le Docteur ? »

Le soir même, au moment du repas, servi à la muette à la famille et aux commis rassemblés, voici qu'on frappe à la porte. Célestine va ouvrir et reconnaît avec surprise le chirurgien :

« Bonsoir, Docteur ! Nous sommes bien contents de vous voir.

— Et moi encore plus de vous entendre ! Vous n'êtes donc plus muette, Madame Célestine ?

— Ah ! je vois d'où vous vient cette idée ! De ma grande charogne de mari ! »

L'affaire finit dans de grands éclats de rire et des verres de goutte pour tout le monde.

« Combien vous dois-je, Docteur ? demanda mon beau-père.

— Rien du tout.

— Oh ! que si ! Puisque vous avez rendu la parole à ma pauvre femme ! »

Mon premier ami fut Henri Roddier, fils du monteur et de l'épicière. Dit Riri. Mon aîné de deux ou trois ans, il m'initia aux jeux de billes et de toupies. Sa mère me régalait de sin-sin-gomme et de sucre noir. J'allais souvent chez lui, il venait souvent chez moi. Comme le jour où je voulus lui faire admirer le nouveau livre de lecture que j'avais touché de l'école centrale, avec ses beaux titres et ses illustrations. Or lui, à ce moment-là, tournait plutôt son attention vers la *pompe* aux pommes que Célestine était en train de cuisiner pour le repas du soir. Et moi de le rappeler à l'ordre à plusieurs reprises :

« Regarde ce que je te montre ! Mais regarde donc !
— Je regarde bien.
— Mais non ! Tu regardes ailleurs ! »

Le manège dura ainsi un long moment, Riri essayant de partager son esprit entre les mains de ma mère et les pages de mon bouquin. Au terme de ce combat, je finis par fondre en larmes, prenant le ciel à témoin de son indifférence :

« *I vole qu'o regarde ! I vole qu'o regarde !* Je veux qu'il regarde ! »

Pour la première fois, je m'aperçus que mon goût pour la chose imprimée était une exception parmi mes compatriotes. Plusieurs Thiernois de bonne souche m'ont affirmé que la lecture leur procure des vertiges, des nausées, des pleurements d'yeux, parfois même des bourdonnements d'oreilles tout à fait insupportables. Comme à moi le boudin de ma petite enfance. Aussi s'en gardent-ils comme de la peste. Quand un Thiernois authentique entend le mot « culture », il tire son grand mouchoir à carreaux et souffle dedans aussi fort qu'il peut pour ne pas en entendre davantage. Il n'est donc pas difficile de comprendre où vont ses yeux s'ils ont à choisir entre un livre et une *pompe* aux pommes.

Mais j'aimais bien la coutellerie-épicerie-buvette. Devant la fenêtre, au meilleur jour, le patron montait ses couteaux. Un diplôme encadré ornait un mur, attestant qu'il avait obtenu en 1902 à l'exposition de Lille une *mention honorable* pour avoir fabriqué un *couteau à cinq pièces montées sur le même ressort*. A travers lui, l'honneur rejaillissait sur tous ces modestes artisans, d'apparence fort routiniers, en fait jamais las de composer des variations sur ce thème : un manche et une lame. Derrière Jean Roddier-Brunel, la salle de café recevait de fidèles buveurs, parmi lesquels mon beau-père et plusieurs de ses commis, autour de la grande table ronde et de petites tables rectangulaires. Elle était souvent mon refuge les soirs d'hivers quand, revenant de l'école, je trouvais la maison encore vide, ma mère toujours au « dépôt ». J'en appréciais la chaleur, la compagnie, les rires, l'amitié. Assis dans un coin, mon livre de lecture sur les genoux, je me sentais bientôt flotter, porté par le brouhaha des joueurs de manille. En levant les yeux, je voyais devant moi, à un autre mur, un chromo représentant un volcan auvergnat en pleine éruption : un flot de laves rouges débordait de sa gueule, tandis que de petits Auvergnats en peaux de bête couraient çà et là, terrorisés, emportant leur progéniture. Bientôt, il me semblait participer moi-même à cette fuite devant la montagne brûlée. Jusqu'au moment où la main de Célestine venait me taper sur l'épaule.

De l'autre côté du couloir s'ouvrait l'épicerie où régnait la mère de Riri, tout odorantes l'une et l'autre de café, de cacao, de poivre, de muscade. On m'y envoyait acheter parfois une livre de gros sel (il coûtait moins cher que le fin, facile d'ailleurs à réduire en poudre en le pilant dans un mortier, ou en l'écrasant avec une bouteille) ou un kilo de riz ; et Mme Roddier-Brunel ne manquait pas d'y ajouter de sa poche, à mon intention, un bâton de sucre d'orge. Elle inscrivait sur un cahier la somme due, réglée en principe chaque fin de mois. Peu de gens payaient alors au comptant leurs achats quotidiens, excepté à la buvette. Les épiciers, les boulangers, les bouchers étaient les banquiers du pauvre monde.

Il existait d'ailleurs plus pauvre que nous. De temps en temps, une voisine venait frapper à notre porte pour emprunter trois allumettes, un verre de farine, un œuf tout seul.

« Pardonnez, expliquait-elle pudiquement, je me suis laissé prendre de court. Et j'en aurais besoin pour mon dîner. Je vous les rendrai, soyez tranquille. »

Nous étions tranquilles. Il arriva même une fois qu'on vînt demander de l'argent : « J'aurais besoin de trois francs, ma pauvre. » Et ce jour-là, par un fâcheux hasard, ma mère ne les avait point sur elle. Elle se tourna vers moi, persuasive :

« Est-ce que tu ne les aurais pas, toi, dans ta tirelire ? »

En vérité, je possédais un porcelet de plâtre fendu sur le dos. Comment refuser ce service à ma mère et à la voisine ? J'allai donc chercher mon cochon, on lui mit les pattes en l'air, on le secoua jusqu'à ce qu'il eût rendu tout son contenu, blanchi par le plâtre. Les trois francs s'y trouvaient tout juste.

« Grand merci, dit la voisine, mon mignon. Je te rendrai ça dans les huit jours. »

Ces emprunts minuscules étaient en effet, d'ordinaire, suivis de leur scrupuleux remboursement. Celui-ci devait toutefois s'accompagner des intérêts, qui consistaient à faire une belle conversation à la prêteuse, le temps convenable, proportionnel à la durée du prêt. Une conversation trop brève était une marque d'ingratitude ; et l'emprunteuse courait le risque d'entendre dire dans son dos :

« Celle-là, elle pond. Mais elle couve pas. »

Étonnante époque où tu pouvais emprunter trois allumettes, un œuf, un verre de farine, et payer les intérêts rien que par des mouvements de langue ! Aujourd'hui, n'importe qui emprunte sur dossier dix millions au Crédit Agricole et les obtient sans ouvrir la bouche, au moyen d'une simple signature.

Quant à mes trois francs, ils furent sans doute restitués à ma mère à l'échéance convenue. Mais elle se trouvait elle-même dans une période de dèche et me demanda de les garder provisoirement, je te les rendrai plus tard. En fait, oubli, négligence, impossibilité, jamais ils ne me revinrent, je n'osai point les réclamer, et mon porcelet demeura longtemps le ventre vide.

Peu d'années après notre venue au 15, s'établit au 17 une famille de dix personnes d'origine franc-comtoise qui repeupla d'un coup ce coin pauvre d'enfants, car elle en comptait cinq d'un âge proche du mien : Maurice, Dédé, Popaul, Fernande, Nénette ; et trois autres plus âgés : Denise, René, Marcel. Ce dernier, déjà établi, ne revenait au foyer paternel que de loin en loin. Cet afflux de camarades fut un grand bonheur pour moi, pour Riri et quelques autres fils uniques ou presque uniques. Notre point de ralliement était le « fond de la rue » avec ses dépendances : la fontaine qui larmoyait en contre-bas dans son bassin moussu ; les buses des égoûts qui nous servaient de repaires, malodorants mais insondables ; les jardins environnants où nous allions marauder les groseilles demi-vertes, des noisettes encore à leurs dents de lait et des bâtons d'angélique ; les toits des cabanes, les grillages des volières sur lesquels nous courions comme des chats. Sur cette demi-campagne, le printemps, l'été, l'automne, l'hiver nous allaient comme un gant. La saison sèche amenait ses jeux de chasse ou de guerre, ses courses sur deux pieds ou sur un seul, ses exercices à bicyclette. Un peu avant la fête des Brandons, nous curions les fossés, rasions les talus de leurs broussailles et formions, autour d'un mât, un immense bûcher, un *fougà*, qui, le premier dimanche du Carême, éclairait violemment la nuit ; nous dansions une ronde autour des braises, tandis que certains adultes emportaient des brandons et les plantaient dans leurs jardins pour en éloigner la vermine, souris, taupes, mulots, courtilières. Le soir du 14 juillet nous trouvait rassemblés sur la murette qui longeait l'entreprise d'estampage Roddier-Roddier, blottis sous une glycine aux bras de pieuvre ; et de là nous assistions au feu d'artifice jaillissant du puy Guillaume sur lequel la chapelle Saint-Roch a été construite aux temps pestiférés. En hiver, la forte pente de la rue Edgar-Quinet la rendait merveilleusement propice à nos glissades. Par temps de pluie, nous nous réfugions chez les uns ou les autres. Mes voisins francs-comtois possédaient la chose la plus rare et la plus belle au monde : un phonographe à pavillon qui nous apprenait les dernières chansons de Paris :

> C'est la java,
> La vieille mazurka
> Du vieux Sébasto...

Ce Sébasto était pour moi indubitablement un vieux joueur d'accordéon inventeur de la mazurka-java ; mais je n'avais aucune idée des pas et des gestes qu'elle comportait. Chez Riri Roddier, nous jouions aux dominos sur la grande table ronde.

Quand il m'arrivait de recevoir mes amis, ma spécialité était de leur offrir une boisson singulière dont ma grand-mère Chaleron m'avait appris le secret : l'infusion de mélisse. Cette plante, dite également citronnelle, qui rend le bien pour le mal en parfumant les mains qui l'arrachent, poussait en abondance sur nos talus où les abeilles venaient lui conter fleurette. J'en cueillais un rameau que je mettais tout frais à bouillir dans une casserole. L'odeur melliflue s'en répandait dans la cuisine et nous en sifflions de pleines tasses, en exagérant l'expression de notre plaisir. Notre entente était parfaite. Excepté le jour où, pour je ne sais quelle raison, je me pris de querelle avec Maurice et nous nous lapidâmes férocement, comme il n'est possible qu'entre frères. Depuis, j'en ai gardé au flanc gauche une douleur qui se réveille aux époques de grand froid.

De mes camarades d'école, je n'ai gardé qu'un souvenir vague et je suis toujours étonné quand il m'arrive aujourd'hui, dix siècles après ces événements, de rencontrer un inconnu à tête grise qui, dans la rue, m'aborde joyeusement, me tape sur le ventre :

« Tu te souviens ? Nous étions ensemble chez le père Rosalie. Ah ! nous méritions bien les fessées qu'il nous passait, car on en faisait de belles !

— Des terribles », réponds-je avec complaisance, espérant qu'il va compléter d'un chapitre inédit ma propre biographie. Mais il s'en tient là, je reste sur ma faim.

Parmi tous ces copains anonymes et oubliés, un seul m'est resté dans le cœur : Dubost (ici, l'on prononce *Dubeau*) Camille, que j'appelais Camomille, et qui me surnommait Gladou. Sobriquets d'une extrême tendresse qui exprimaient bien les sentiments que nous avions l'un pour l'autre. Orphelin de guerre comme moi, il habitait la rue Durolle, plus vertigineuse encore que la rue Edgar-Quinet, ex-rue du Portal parce qu'elle aboutissait autrefois à une porte, juste au-dessus du pont de Seychal ; ancienne route de Lyon à une époque où l'on ne craignait ni les descentes, ni les montées. Michel de Montaigne la gravit en 1581, revenant d'Italie où il était allé soigner sa gravelle ; mais d'abord il s'arrêta chez Palmier, près de la rivière pour y voir fabriquer les cartes à jouer qui ne se vendaient « que un sol les communes et les fines deux carolus ». Pour moi, je me moquais bien de ce passage historique quand j'allais rendre visite à Camomille. Sa mère, veuve non remariée, m'accueillait merveilleusement, me bourrait de chocolat liquide et solide, jouait avec nous à bataille, nous susurrait des chansons anciennes d'une voix grêle mais très juste. Bientôt, je vis en son fils un frère plutôt qu'un ami. A l'école, nous occupions la même table à deux sièges et je n'étais jamais plus heureux que lorsque, en composition française ou en toute autre matière, je me faisais battre par lui ; jamais plus triste que lorsque je le voyais punir. Nous partagions nos deux fortunes : pas une tablette de sin-sin-gomme, pas une racine de réglisse qui ne fussent par nous deux mâchouillées à tour de rôle. Si je n'avais qu'une noisette, j'en fendais l'amande pour lui donner une moitié. Si j'étais gardé en retenue, il se punissait aussi et attendait ma libération afin que nous pussions partir ensemble. Quatre ans nous fûmes ainsi compagnons de route. Jusqu'au jour où nos chemins divergèrent.

Dans *La Vita Nova*, Dante Alighieri se vante d'avoir rencontré à l'âge de neuf ans la fillette qui devait devenir « la glorieuse maîtresse de (ses) pensées ». *Pour dire vrai, l'esprit de vie, qui réside dans la chambre la plus secrète de notre cœur, commença de frémir en moi si fort que cela se remarquait à l'œil nu de l'extérieur dans les moindres palpitations de mon sang.* Je ne crois pas que de tomber amoureux à cet âge soit d'une précocité extrême, car c'est également, à quelques mois près, ce qui m'arriva.

Mais j'allai plus loin que Dante car j'aimais deux filles en même temps. L'une s'appelait Suzanne, l'autre Fernande. Toutes deux mes aînées, de trois ans la première, de quatre la seconde.

Voici en quelles circonstances je fis la connaissance de Suzanne. Au fond de la place Belfort, là où se tient actuellement une station-service et l'immeuble du Syndicat d'Initiative — lieu-dit dans mon enfance « la Porte-Neuve » en souvenir d'une entrée de la ville depuis longtemps révolue — existait un poids public sur lequel les transporteurs venaient peser leurs charrois de blé, de bois, de charbon en vrac ; les paysans leurs vaches, leur foin, leurs pommes de terre. Du côté de la rue une rampe de fer en limitait la surface, sur quoi j'aimais à venir me balancer en avant, en arrière, en avant, en arrière, les mains bien serrées sur le tube pour régler mes oscillations. Or un matin d'hiver — c'était l'époque où l'on saignait les porcs dans la rue, au beau mitan des carrefours, ce qui ne gênait guère la circulation — je réglai si mal les balancements que je partis à la renverse et qu'après une rotation de cent quatre-vingts degrés mon occiput descendit frapper comme un battant de cloche la bordure en granit du trottoir. Quelqu'un me releva hurlant et ensanglanté et me transporta jusqu'à la proche pharmacie Mallaret. On m'y coucha sur une banquette et le préparateur, un gros homme du nom de Vivier, m'appliqua sur la nuque des compresses chaudes qui me soulagèrent aussitôt :

« Reste comme ça. Ne bouge ni pied ni patte. »

J'obéis si bien que je m'assoupis sur la moleskine.

A mon réveil, M. Vivier remplaça la compresse par un pansement et dit :

« A présent, retourne chez toi. Ça ne sera rien. Mais si par hasard tu éprouvais des envies de vomir, mets-toi au lit et appelez aussitôt un médecin. »

Il n'y eut pas de suite, mon crâne sortit de l'affaire ni plus ni moins fêlé qu'il ne l'était auparavant. Dès le lendemain, après m'avoir bien secoué les puces, ma mère me ramena à la pharmacie pour remercier le préparateur. Elle lui remit en même temps une assiette de cochonnailles enveloppée dans une serviette, disant :

« Nous avons tué avant-hier un demi-cochon. Tenez, Monsieur Vivier, je vous apporte une grillade. »

Il remercia à son tour, l'une et l'autre n'en finissaient point d'échanger leurs remerciements. Deux jours après, elle vint récupérer l'assiette et la serviette qui lui furent présentées par Mme Vivier en personne, avec cette invitation :

« Venez donc boire le café chez nous dimanche après-midi. »

C'est ainsi que commença la fréquentation de nos deux familles qui devait durer fort longtemps. Suzanne Vivier était une adorable fillette de treize ans, aux magnifiques cheveux blonds. Assis en face d'elle, je la contemplais avec extase comme j'eusse regardé la Sainte-Vierge, sans même oser lui adresser la parole. Outre son charme physique, elle possédait une séduction incomparable : elle jouait de la mandoline. Plusieurs fois, elle vint rue Edgar-Quinet, son instrument enfermé dans une housse, et elle en gratta délicatement les cordes. Jamais nous n'avions rien entendu de si joli. Elle me permit de caresser la rondeur de sa caisse, marquetée de nacre et d'ivoire, tandis que ma mère, mon beau-père et ma petite sœur demeuraient muets de stupeur devant tant de beautés. Je dois dire que la chaste Suzanne ne prêtait pas la moindre attention à mes yeux de merlan frit, si aérienne, si abstraite qu'elle semblait à peine marcher sur le sol. Est-elle toujours de ce monde, grand-mère blanche et ridée ? Lira-t-elle ces lignes ? Si oui, elle sera bien étonnée de ce très pur amour dont elle n'eut pas le moindre soupçon. Sans doute ne se souviendra-t-elle pas même du petit garçon que je fus, avec son regard grave et déjà sa bouche un peu railleuse sur lui-même, si j'en juge d'après mes photos de l'époque.

Se rappellera-t-elle l'affront que je reçus chez elle (c'était au second étage d'une grande maison grise, rue Terrasse, vis-à-vis les confections Conchon-Quinette) en sa présence et à cause de sa présence ? Ma mère m'avait envoyé porter aux Vivier un morceau de *pompe* aux pommes. Suzanne était occupée à écrire dans la salle à manger : pièce inconnue chez nous où l'on mangeait, fricotait, se débarbouillait dans la cuisine. Or, peu après, entre une dame distinguée à qui l'on me présente et qui se met à me poser des questions spirituelles :

« Tu vas à l'école ?

— Oui.

— Dans quel établissement ?

— A l'école centrale.

— A l'École Centrale ? Quelle merveille d'être centralien à ton âge ! Et tu es un bon élève ?

— Il me semble.

— Il me semble ! Voyez comme il s'exprime bien, ce petit ! En quelle matière es-tu le meilleur ?

— Heu... en... en géographie.

— En géographie, vraiment ? C'est merveilleux, ça, d'être un bon élève en géographie ! Dis-moi : Toulouse se trouve dans quel département ? »

Suzanne me regardait. Je me sentis flamber d'émotion. Et déjà défaillir. Toulouse ? Je ne connaissais que ça. Dans mon esprit, je voyais très bien cette ville sur la carte, au coude de la Garonne. Mais le nom même de ce fleuve — qui eût suggéré sans faute celui du département — m'échappait. Un sourire moqueur commença de paraître sur le visage de mon amie.

« Toulouse ? Heu... c'est en bas sur la carte... sur le fleuve... heu...

— Formidable ! dit la dame inconnue en pouffant derrière sa main. Je vois que tu es très brillant en géographie ! »

Suzanne détourna la tête pour rire sans retenue. Cette dissimulation me déchira le cœur. Parbleu ! Elle connaissait la géographie de la France mieux que moi, ayant déjà pris le train plus d'une fois, vu Marseille, Lyon et même Paris. Peu de Thiernois pouvaient se vanter de tels voyages ; on se les montrait dans la rue, on chuchotait admirativement, il est allé à Paris, il est allé à Bordeaux. Tous mes voyages à moi s'étaient faits dans mon manuel scolaire et je n'appartenais pas à une famille où les enfants reçoivent des leçons de mandoline. Mes mandolines étaient la pelle à sable et la pelle à charbon.

Par chance, mon cœur, comme j'ai dit, n'était pas la seule propriété de Suzanne. Une moitié en revenait à Fernande, la sœur de mes copains Dédé, Maurice et Popaul. Aimer deux dames en même temps me paraissait chose aussi naturelle qu'aimer son père et sa mère, son cousin et sa cousine. Beaucoup moins jolie que la mandoliniste, Fernande avait sur elle cet avantage que je la voyais tous les jours. Souvent, lorsque j'entrais chez les Francs-Comtois, je l'entendais aller et venir dans la pièce contiguë et répéter à voix haute, interminablement, les termes de la leçon qu'elle essayait de se fourrer dans le citron : *L'U.R.S.S. est un pays de 21 millions de kilomètres carrés et de 130 millions d'habitants, qui s'étend de la Pologne au détroit de Béring sur 180° de longitude... L'U.R.S.S. est un pays de 130 millions de kilomètres carrés et de 21 millions d'habitants...* Non, zut. *L'U.R.S.S. est un pays...* Car il faut dire la vérité : Fernande avait la tête un peu dure et le savoir y entrait difficilement. Il arrivait même, en mathématiques, en orthographe, en rédaction, qu'elle recourût à mes lumières quoique je fusse seulement inscrit à l'école centrale et elle déjà élève de l'École Primaire Supérieure. Mais peut-être n'était-ce là qu'un prétexte pour me faire asseoir près d'elle, sur le banc de gros chêne. Nos deux têtes se penchaient vers le même problème, nos deux chaleurs se confondaient, je sentais sous ma chemise battre mon cœur affolé. Ses cheveux frôlaient ma tempe, je voyais de si près sa joue ronde que mes lèvres avaient la tentation de s'y enfoncer. Elles ne le firent jamais, excepté le Jour de l'An où il est permis à tout un chacun d'embrasser qui il lui plaît.

M'aimait-elle également ? Je le crois. Avec une certaine anxiété, à cause des quatre ans qui nous séparaient et qu'elle s'efforçait de réduire à trois par des calculs sophistiqués, sous prétexte qu'il y manquait deux mois et quelques jours :

« Nous avons, affirmait-elle, quelque trois ans d'écart. »

Trois ans, mon œil ! Ou bien, elle extrapolait :

« Quand tu auras quatre-vingts ans, j'en aurai quatre-vingt-trois, ce qui est presque la même chose. Nous serons deux octogénaires ! »

Cela nous faisait bien rire. Mais jamais un mot de tendresse n'était prononcé entre nous ; jamais n'étaient évoquées nos noces éventuelles. Nous nous parlions aussi de fenêtre à fenêtre, ce qui fut bien commode à l'époque où je me trouvai immobilisé par les oreillons. Défense de sortir pendant vingt et un jours ! Mais ces trois semaines me parurent courtes, car j'en passai une bonne partie en conversation de fenêtre, la tête entourée de foulards.

La rue appartenait aux hommes, et non pas aux véhicules comme c'est le cas aujourd'hui. Les crépuscules d'été, beaucoup de Thiernois mangeaient la soupe devant leur porte, le bol entre les genoux. Il s'ensuivait des conciliabules avec les voisins qui se prolongeaient jusqu'à la nuit noire, les enfants menant à l'écart des adultes leurs jeux et leurs bavardages. Riri Roddier, naturellement, participait aux nôtres. Mais je trouvais qu'il prolongeait un peu trop ses dialogues avec Fernande. Son âge le tenait plus près d'elle que le mien et ils s'entretenaient ensemble, assis côte à côte sur les marches de pierre, de sujets sérieux qui me demeuraient étrangers, la superficie de l'U.R.S.S., la consolidation du franc, l'affaire Sacco et Vanzetti, la traversée de l'Atlantique. Bref, la jalousie me dévorait le foie. Un samedi soir que moi, je me trouvais prisonnier dans ma chambre et que j'assistais de mon troisième à cet aparté, je vis Fernande se détacher du groupe, se placer juste au-dessous de ma fenêtre et me crier quelque chose qu'à cause de la distance je comprenais mal :

« Est-ce que tu veux... me-ne-me-ne... au doigt ?

— Comment ? Que dis-tu ?

— Est-ce que tu veux... me-ne-me-ne... au doigt ? »

L'esprit de vie, comme écrit Dante, se mit à frémir en moi et mon sang à furieusement palpiter. Car voici comment je reconstituai le sens de la question : « Est-ce que tu veux me mettre un jour la bague au doigt ? » C'était, ni plus ni moins, qu'une demande en mariage, à laquelle, très vite, je répondis favorablement :

« Oui. Naturellement. Quand tu voudras. »

Elle parut surprise de ma réponse, secoua la tête, me souhaita la bonne nuit et rentra chez elle, tandis que les autres aussi se dispersaient. J'en passai une, en fait, très mauvaise, tournant et retournant dans ma tête la phrase mal entendue, plus tout à fait certain d'avoir bien deviné. Comment avait-elle eu l'audace de faire sa demande à voix haute, en présence de tant de témoins ? A l'aube, j'étais beaucoup moins sûr de mon fait et, dès que je pus, je me précipitai chez Fernande.

« Qu'est-ce que tu me demandais, hier soir ? chuchotai-je.

— Hier soir ? A quel moment ?

— Je me tenais à ma fenêtre et tu m'as parlé de ton doigt.

— Ah ! oui, oui, mon doigt. Je te demandais : " Est-ce que tu vois la belle ampoule que j'ai au doigt ? " Je me le suis coincé dans une porte. Tu m'as répondu : " Oui, naturellement, quand tu voudras. " Qu'est-ce que tu avais compris ?

— Je ne me rappelle plus. Mais ta question était idiote : comment voulais-tu que je voie l'ampoule à cette distance ? »

Nous nous querellâmes un peu. Quand j'ai le cœur serré, ma douleur se change souvent en colère. Il ne fut plus question entre nous de projets matrimoniaux exprimés.

D'autres jeux néanmoins nous rapprochaient. Il y avait, plus haut dans la rue, à gauche en montant, juste après l'entreprise Trévy, une vaste remise remplie de calèches, fiacres et cabriolets en désuétude. Les sièges en étaient recouverts de cuir, les portières capitonnées, les planchers tapissés ; tout cela sentait le musc, le cigare refroidi, la crème Tokalon. Comme la porte fermait mal, nous nous faufilions souvent à l'intérieur du local pour y jouer : au cocher, au cheval, aux voyageurs ; tout cela accompagné de grands claquements de langues, de fouets et de sabots. Ou simplement « aux cachettes ». Tous et toutes disparaissaient dans les fiacres pendant qu'un seul « bouchait », comptant jusqu'à vingt le visage tourné contre un mur. Il y avait là les copains ordinaires de la rue, mais aussi Fernande, et Guite Trévy, et Rose Déglon. Celle-ci appartenait à une famille de protestants venue de Suisse et convertie à la coutellerie, unanimement respectée pour sa gentillesse et la pureté de ses mœurs ; toutes les filles y portaient des noms de fleurs : Rose, Violette, Églantine. L'aînée, je crois bien, était aussi un peu amoureuse de moi car, chaque fois que je lui adressais la parole, Rose devenait Pivoine jusqu'aux oreilles. Cela finit par me frapper. Guite Trévy m'intéressait également, à cause de ses longues nattes blondes nouées sur la tête. En vérité, j'étais amoureux de toutes les demoiselles qui passaient à portée de mes regards, même si deux d'entre elles m'occupaient spécialement le cœur. Notre jeu consistait à pénétrer dans une voiture comme le renard dans un poulailler, à dénicher les partenaires dissimulés et à les identifier : le premier reconnu prenait la place du « boucheur ». Mes mains se promenaient donc dans l'ombre, à tâtons, sur le visage, les cheveux, le cou, les épaules. Avec quel trouble, quand, dès mon entrée dans la voiture, j'avais à son odeur de savonnette perçu que ma proie était une poulette ! « Mon Dieu ! priais-je. Faites que ce soit Fernande ! » L'autre, chatouillée, poussait quelquefois un petit gloussement de plaisir. Mes investigations se prolongeaient aussi longtemps qu'il était décent de le faire, mais n'allaient pas au-delà des surfaces découvertes. Il m'arrivait seulement, pendant la fouille, de me baisser suffisamment pour poser sur les chevelures un baiser imperceptible. Lorsqu'à mon tour je devenais chair à renard, les demoiselles procédaient de même, en tout bien tout honneur.

Nous grandîmes ainsi côte à côte, Fernande et moi, liés par un tas de choses sous-entendues, sans que personne autour de nous remarquât jamais nos émotions. Elle poussait lentement, comme si elle attendait que je la rattrapasse, ce que je m'efforçais de faire ; et bientôt nous fûmes en effet de la même taille. Un jour, elle perdit une barrette que je recueillis précieusement et emportai dans ma chambre : elle avait gardé l'odeur de ses cheveux, mêlée à celle du celluloïd. Mme Roddier-Brunel, la mère de Riri, se moquait d'elle parfois à cause de ses délicatesses de chatte blanche, qu'elle appelait « maniaqueries » ; elle s'écria même un jour :

« Toi, mon amie, tu finiras vieille fille ! »

Et moi de rire intérieurement, me disant que je serais là pour y mettre bon ordre. En fait, le temps ne nous rapprochait point : elle eut seize ans, et moi douze. Elle fut reçue au Brevet Élémentaire et me sortit un jour cette terrible nouvelle :

« Maintenant, je n'ai plus rien à apprendre à

Thiers. A la prochaine rentrée, j'irai à l'E.P.S. de Clermont, où je préparerai le concours d'entrée à l'école normale d'institutrices. »

Cela signifiait : nous serons séparés, nous ne nous verrons plus, excepté peut-être un tout petit peu aux vacances. Et elle me disait cela avec la plus grande tranquillité du monde ! J'observai son front, ses yeux, ses lèvres : tout cela souriait. Elle n'éprouvait, toute fière d'aller habiter le chef-lieu, aucune peine de partir ; ou bien elle la dissimulait trop parfaitement. Je montai pleurer dans ma chambre en reniflant sa barrette, ne comprenant rien à rien, ni aux femmes, ni à l'amour, ni à moi-même, ni au destin. La fin septembre venue, elle partit avec sa malle sans me dire au revoir, parce que, sans doute, je ne me trouvai pas ce jour-là au bon endroit, au bon moment. « Puisqu'il en est ainsi, me promis-je, je t'oublierai. J'en aimerai une autre. » Pas Suzanne Vivier, la mandoliniste, en tous cas : elle aussi avait quitté la ville. Je demeurai le cœur vacant et disponible.

A mesure que je prenais des années, d'ailleurs, les femmes suscitaient en moi un intérêt grandissant. En livrant mon charbon, j'en voyais de toutes les couleurs. Certaines m'offraient des bonbons ou dix sous de pourboire. D'autres caressaient ma joue, s'étonnant de me voir si jeune porter des sacs de cinquante kilos :

« Quel âge as-tu donc ?

— Treize ans et demi.

— Comme tu es fort ! »

Il nous advint (j'étais avec Saïd) d'être reçus par une dame jeune et jolie, longue, ondulante, vêtue d'un étrange costume comme jamais je n'en avais vu le pareil : il comportait une veste échancrée et un pantalon de soie. Bref, je la trouvai habillée en chinoise, quoique le nom de son insolite vêtement (je l'appris bien plus tard) fût plutôt indien : pyjama. Les pieds dans des mules fourrées, elle nous désigna le réduit où nous devions vider nos sacs, puis s'en fut s'allonger sur le lit à baldaquin qu'elle venait manifestement de quitter. A chaque voyage que nous répétions, elle nous accueillait dans cette posture d'odalisque, souriante, accoudée à ses coussins. Au dernier, elle dit :

« Vous avez un pourboire chacun sur la table. Prenez-le. Laissez la facture, j'irai payer. »

Je partis convaincu que cette charmante personne passait sa vie couchée. En quoi je ne me trompais guère. A mon retour au dépôt, les commis me pressèrent de questions égrillardes :

« Alors, tu l'as vue ?

— Qui ?

— La Serpentine. Tu trouves pas qu'elle ressemble à un serpent ?

— Pas du tout. C'est une belle femme. Et très gentille. »

Et eux, avec des rires gras : « Tu parles ! Tu parles si elle est gentille ! »

A plusieurs reprises, je pensai aux ondulations de son corps.

Il existait aussi rue Denis-Papin (autrefois rue du

Lac) une maison pleine de jeunes femmes qui vivaient recluses comme des nonnes, derrière leurs persiennes toujours fermées. Jamais je ne les voyais, mais j'avais l'occasion de les entendre chanter en passant ; et je me disais que, malgré leur clôture, elles ne se sentaient point malheureuses puisqu'elles chantaient. On appelait cette maison, ouverte seulement aux grandes personnes et ornée en guise d'enseigne d'une lanterne rouge, « chez Claque-Dent ». Or, envoyé par mon beau-père qui aimait bien ce genre de farces, il m'arriva un matin, assez tôt, d'entrer dans la maison secrète pour livrer mes boulets. Nous fûmes reçus par M. Claque-Dent en personne — un homme gros et fort avec l'accent méridional — qui nous accueillit aimablement. Regardant autour de moi de tous mes yeux, j'eus l'impression de me trouver simplement dans un bar ordinaire, sauf qu'il était surchargé de glaces et de lustres. J'aurais bien aimé voir les jeunes femmes aux chansons, mais pas une ne se présenta. Nous descendîmes nos sacs dans la cave et, quand tout fut déchargé, M. Claque-Dent nous offrit gracieusement une boisson à son bar. Comme nous hésitions, il suggéra :

« Champagne ?

— Non, non, fit Saïd. Café. »

Et moi : « Je veux bien. Une goutte. »

Je dégustai les bulles et le liquide, mais je restai sur ma soif. Informée après coup de ma visite à la maison secrète, ma mère injuria copieusement son mari responsable de la chose ; et c'est tout juste si, de nouveau, elle n'en perdit pas l'usage de la parole.

A ces amours bienheureuses dans leur innocence, j'ai survécu pour en avoir d'autres qui m'ont fait souffrir. Rose et Fernande sont prématurément parties au pays de la paix. A l'enterrement de la première, M. Jean Déglon son père, pasteur de l'Église protestante, eut un mot qui émut tous les présents :

« Aujourd'hui, j'ai perdu la plus belle fleur de mon jardin. »

Fernande, institutrice, devint en effet la vieille fille que lui avait prédite Mme Roddier-Brunel ; je ne tins pas la promesse de mariage que je n'avais faite qu'à moi-même, mais j'en portai longtemps le poignant remords. Un jour, elle s'éclipsa discrètement, à la suite de troubles cardiaques, trahie également par son cœur.

L'écriture.

J'ai ressenti très jeune les premières atteintes du mal qui devait dévorer mes jours, mes nuits, mes années ; m'apporter tant de déceptions, tant de chagrins, tant de bonheurs. La première contamination m'en vint, me semble-t-il, de la lecture du *Jocelyn* de Lamartine. Il figurait sur une liste imposée par M. Elie Cottier — le prophète-pompier qui m'avait sauvé de ma première combustion — d'ouvrages à lire pendant les grandes vacances à l'issue du cours supérieur, afin de pouvoir monter honorablement au cours complémentaire. Bien qu'il ne s'agît que d'extraits dans la collection Hatier des « Classiques pour tous », je dégustai mon volume aux Salomons, à l'ombre d'un tilleul fort romantique, frappé par la beauté de cette histoire d'amour, de foi, de sacrifice, de mort, et par la merveilleuse harmonie des vers :

Son visage était calme et doux à regarder ;
Ses traits pacifiés semblaient encor garder
La douce impression d'extases commencées ;
Il avait vu le ciel déjà dans ses pensées,
Et le bonheur de l'âme, en prenant son essor,
Dans son divin sourire était visible encor.

J'appréciai tout spécialement le plaisir d'écrire *encor* sans e final et de compter quatre syllabes dans *pa-ci-fi-és, im-pres-si-on.* Ces raffinements me rendirent amoureux du langage poétique, si bien que je me mis à l'étudier tout seul afin de lui arracher ses secrets, comme le pape Gerbert enfant observait les étoiles au moyen d'un bâton creux. Confrontant les « récitations » de mes livres de lecture, je découvris les principales règles de la prosodie, les pauses, les rimes et leur disposition, l'élision, les licences orthographiques. Il ne restait qu'un pas à sauter : m'essayer moi-même au jeu. Ce que je fis en cachette de tous, honteusement, ne montrant à personne mes sécrétions. J'entendais déjà les railleries de mes camarades du cours complémentaire :

« Voyez Jean Pétaret qui se prend pour Victor Hugo !... Qui se prend pour Henry Franz ! »

Pendant des mois, je gribouillai des tercets, des quatrains, et même des octaves. Un de mes copains, fils de comptable, s'était vanté qu'il pouvait disposer chez lui d'une machine à écrire. J'eus alors l'audace de lui confier deux de mes textes rimés, lui demandant de me les taper en bonne et due forme. Ce qu'il accomplit très obligeamment. Quand je vis mes vers habillés de caractères romains, parfaitement alignés sur les pages blanches, j'en éprouvai autant de joie que, beaucoup plus tard, à la parution de mon premier livre.

« Mais ne va pas raconter ça ! recommandai-je à mon pote dactylographe. On se moquerait de moi.

— Sois tranquille. Cela reste entre nous. »

A quelque temps de là, au titre des réparations de guerre, notre école reçut une machine à écrire allemande et nos maîtres se mirent dans l'esprit d'apprendre pour eux-mêmes et de nous faire apprendre la dactylographie. Selon la méthode rationnelle qui utilise tous les doigts des deux mains. Cet exercice occupait une partie de nos études du soir, chacun de nous prenant à tour de rôle possession du clavier afin d'y faire ses gammes. Un jour, aux alentours du 24 juin, je me fis surprendre par M. Jean Brunel — successeur d'Elie à la tête de l'enseignement des lettres — en train d'achever la frappe d'un texte bizarre. Il se pencha, découvrit qu'il s'agissait d'un compliment poétique que j'avais arrangé en son honneur et dont je me préparais à le régaler à l'occasion de la Saint-Jean. Car l'usage était, chaque année, de nous cotiser pour célébrer la fête de nos instituteurs. Journée de liesse générale dans la classe enluminée de guirlandes, de branches, de dessins à la craie de couleur, où les enfants commandaient à l'homme. Chacun y allait de son cadeau, de sa chansonnette, de son compliment. Le mien s'achevait ainsi :

Vive saint Jean ! Et reçois notre gerbe,
Maître vénéré qui guide nos pas !
S'il en est un jour une plus superbe,
Une plus sincère, il n'en sera pas.

« Je peux le garder ? Tu me le donnes ? demanda Jean Brunel.

— Bien sûr, puisque je l'ai écrit pour vous.

— Merci. Il faut un *s* à *guides* : *toi qui guides*. C'est à la seconde personne. »

Il me serra la main, comme à un brave.

Le jeudi, il m'arrivait d'acheter un hebdomadaire illustré, *Distraire*, qui accueillait et encourageait les poètes amateurs. Chaque semaine, une œuvre sélectionnée paraissait dans ses colonnes. J'envoyai plusieurs textes sans résultat ; jusqu'au jour où fut publié un sonnet, *La poupée brisée*, inspiré par ma petite sœur dont, pour des raisons de rythme et d'anonymat, j'avais changé le prénom de Marthe en celui de Madeleine :

Madeleine, méchante mère,
De votre enfant, qu'avez-vous fait ?
Ses restes, au pied du buffet,
Rendent votre douleur amère.

La voilà morte, et tout à fait !
Gardant sa frisure éphémère,
Son fixe regard de chimère,
Sa crinoline qui bouffait.

Voyez ses bras de porcelaine...
Ah ! toutes vos larmes, vilaine,
N'y feront rien, il n'est plus temps...

Viens, apporte-moi cette joue
Mouillée, où l'aube rit et joue,
Poupée unique de huit ans.

C'est dans la rue que je lus ces lignes imprimées encore tout odorantes d'encre fraîche. Puis je les relus et les relus, insoucieux des passants que je tamponnais. Je crus que le ciel m'était donné, je serai poète, je serai poète comme Henry Franz, me dis-je.

En prose, je ne me débrouillais pas trop mal non plus, obtenant presque toujours les meilleures notes de la classe pour mes compositions françaises. Il arrivait parfois — je m'en rendais compte quoiqu'il fît la chose avec discrétion — que M. Brunel emportât mon cahier dans la cour pour faire lire à ses collègues mes modestes essais. Ainsi donc, j'avais déjà un public ! La grande vanité de tous les auteurs commençait à s'insinuer dans mes entrailles.

Vers cette époque, la réalité thiernoise me fournit l'occasion d'assister de mes yeux à un assassinat et d'en tirer un roman que j'intitulai *Le crime du 14 juillet*. En même temps, je découvris en moi un terrible don qui devait plusieurs fois se manifester, malgré mes efforts pour le combattre, pour ne pas y croire, pour le tourner en ridicule : celui de pressentir la mort des autres. Un jeudi du mois de juin, après un déchargement de tuiles auquel j'avais participé, le maître maçon nous invita à boire chopine au bistrot le plus proche. Nous étions quatre ou cinq autour de la même table, parmi lesquels, assis à ma gauche, un Algérien plutôt loqueteux du nom de Larki qui ne but que de la limonade. A ma droite, se tenait Henri l'Ambertois qui avait failli m'écrabouiller sous son camion, roulant une cigarette. A un moment donné, il demanda du feu ; Larki fit craquer une allumette et lui en approcha la flamme. Sa main dut passer devant moi, à hauteur de mes yeux. Une main fine et comme cireuse, dont la quasi transparence m'imposa cette pensée : « On dirait la main d'un mort. » J'en eus froid dans tout le corps. Quelques jours plus tard, une loterie foraine et un manège de chevaux de bois s'installèrent sur la place de la Mairie, aujourd'hui inaccessible aux véhicules. L'après-midi du 14 juillet, une foule joyeuse se pressait autour des deux attractions. Je m'y trouvais également, en chapeau de coutil, en culottes courtes, en sandales jaunes. De grands éclats de rire environnaient spécialement le manège à cause d'un hurluberlu qui faisait toutes sortes de bouffonneries sur sa monture, lui mordant la queue ou les oreilles, tenant les guides avec ses pieds, le soulevant de son derrière, envoyant en l'air et rattrapant son canotier. Je reconnus, cravaté, bichonné, Larki que j'avais vu en guenilles la semaine précédente.

« Ben, mon argue, s'écriaient les Thiernois, en voilà un qui sait fêter le 14 juillet ! »

Après une partie, c'en est une autre, toujours avec les même grimaces et le même succès d'hilarité. A la fin, il se fatigue pourtant de son bazola, descend de cheval et se dirige à travers la cohue vers l'autre côté de la place. Alors, un de ses congénères — cela se voit au teint, à la moustache, au blanc des yeux — le rejoint par-derrière et lui bourre l'échine de coups de poing. L'homme tombe, tandis que l'agresseur s'enfuit en brandissant une lame sanglante. Car ce que d'abord j'avais pris pour de simples bourrades, c'étaient des coups de couteau. On ramasse Larki, on le transporte au commissariat d'où son cadavre ressortira une heure après les pieds en avant, dissimulé sous une couverture. Et les Thiernois de commenter :

« Il sentait ce qui allait lui arriver, bonnes gens ! Il a bien fait de rigoler tout son saoul ! »

L'assassin sera arrêté. On saura qu'il s'agit du propre cousin de la victime, qu'il y avait entre eux une histoire d'argent prêté, mais non rendu. J'avais pressenti la mort en regardant passer devant mon nez une main qui tenait une allumette. De cette tragédie, dont les détails me furent fournis par la gazette locale, je songeai donc à faire un roman. J'achetai un cahier d'écolier, calligraphiai sur la couverture le titre et le nom de l'auteur, divisai l'épaisseur du cahier en douze parts égales et écrivis en tête de chacune : *Chapitre I, Chapitre II, Chapitre III...* etc. La marmite de mon futur civet se trouvant ainsi préparée, il ne manquait plus que d'y déposer le lapin. Autant que je puisse m'en souvenir, les premières lignes étaient les suivantes :

Dans la petite ville auvergnate de Thiers, capitale de la coutellerie, la Fête nationale avait interrompu le tapage des marteaux-pilons, le vrombissement des meules, le mitraillage des martinets. Les sociétés gymniques et philharmoniques avaient défilé munies de leurs bannières et de leurs instruments...

Il y en avait huit pages de cette mouture. Puis mon inspiration se tarit, le roman resta inachevé. J'en conclus que mes forces ne me permettaient pas encore d'affronter une entreprise d'aussi longue haleine et je retournai à mes versiculets.

Quant à mon sinistre don divinatoire, je l'ai constaté deux ou trois autres fois au cours de mon existence. Et je m'en passerais bien.

Vint le temps des écritures sérieuses. La préparation du concours qui devait arracher les vainqueurs à leur condition de fils de Thiernois mal rasés, mal lavés, mal éduqués, mal instruits, mal payés, pour les élever au rang de fonctionnaires. Employés de l'État sûrs du lendemain et du respect public. Chacun de nous se voyait déjà maître d'école, l'égal de MM. Bargoin, Cottier, Laval, Cholet, Greliche, Brunel. Homme qui sait tout et qui forme tous les autres, même ceux qui monteront plus haut que lui sur l'échelle sociale, les médecins, les ingénieurs, les généraux, les évêques. Afin de nous remplir comme des outres, nos maîtres à nous ne ménageaient ni leur temps, ni leur peine. Au cours du dernier trimestre, mes jeudis, mes dimanches, mes veillées furent absorbés par les leçons et les devoirs, sans que me fût concédé un moment de loisir. Je n'avais même plus le temps d'aller au charbon.

Un seul échappait à cette fascination : mon ami, mon frère Camomille.

« Je n'aime pas l'enseignement, avait-il décidé. Je n'aurais pas la patience nécessaire.

— Crois-tu qu'il ne faille pas être patient dans les autres professions ?

— Je veux être globe-trotter.
— Qu'est-ce que c'est que ça ?
— Ça consiste à trotter sur le globe, de l'ouest à l'est, du nord au sud.
— Ça doit bien user les souliers.
— On en change.
— Si tu préparais l'école normale comme moi, nous resterions ensemble encore trois années.
— La séparation, ensuite, n'en serait que plus difficile. »

Les épreuves du concours eurent lieu dans les bâtiments mêmes que nous devions habiter en cas de succès. Tout m'y émerveilla : le parc, les fleurs, le bassin, l'architecture, le monument aux instituteurs morts pour la France, la devise qui surmontait la grille : *HONNEUR ET PATRIE.* Des pensionnaires en titre de la maison se promenaient sur le sable des allées d'un air important. Nous nous trouvâmes deux cent cinquante candidats dans le gymnase rempli de tables, de chaises, de tréteaux, pour trente-cinq places mises au concours. « Comment toi, me disais-je, pauvre croquant venu des Bonnets près d'Escoutoux, serais-tu accepté dans ce palais ? Il faudrait un miracle. » Le miracle eut lieu.

En septembre 31, je dis au revoir à Camomille :
« Je connais ton adresse. Voici la mienne : *E.N.G., rue Jean-Baptiste Torrilhon, Clermont-Ferrand.* On s'écrira ?
— On s'écrira. »

Nous nous embrassâmes. Plus jamais nous ne nous

sommes revus. Jamais nous ne nous sommes écrit. Chacun sans doute attendait la lettre de l'autre. Qu'est-il devenu ? A-t-il trotté beaucoup, trotte-t-il encore à la surface du globe ? A-t-il usé beaucoup de chaussures ? Est-il roi dans quelque île ? Je lui en veux toujours un peu de m'avoir abandonné pour d'excentriques ambitions. Comme je m'en veux de n'avoir point partagé les siennes.

Ma mère m'accompagna, avec son parapluie et son chapeau orné de cerises, à la mode de 1919. Plus encore que moi, elle fut éblouie par ma résidence, ça me rappelle le château de Bonneval, dit-elle, où j'ai connu ton pauvre père. Un gros homme nous accueillit à l'entrée.

« Qui est ce monsieur ? me souffla-t-elle en patois.

— Je n'en sais rien. Peut-être quelque surveillant principal. »

C'était le concierge. Elle me recommanda à lui chaleureusement, disant, il est un peu têtu, mais pas méchant quand on sait le prendre. Il nous assura de son entière protection. Elle lui glissa même un pourboire qu'il accepta en rigolant. Et elle à moi, toujours dans le même langage :

« Je vais venir t'aider à installer tes affaires.

— Non, non. Je saurai bien. Faut que j'apprenne à me débrouiller tout seul. »

J'avais un peu honte d'elle, à cause de ses cerises, à cause de son jargon. Obstinément, je la ramenais vers la porte ; elle ne se décidait pas à me quitter.

« Ça me fait quelque chose, tu sais, de repartir sans toi !

— Boh ! Je ne suis pas perdu. Je reviendrai pour la Toussaint. Je t'écrirai.

— Oui, c'est ça, écris-moi souvent. C'est promis ?

— C'est juré. »

Il fallut bien se faire les ultimes embrassades, elle les larmes aux yeux, moi des larmes dans la gorge que de mon mieux je retenais.

Au réfectoire, avant le repas de midi, le vrai directeur, M. Sauvanet, vint nous tenir un discours de bienvenue :

« Jeunes gens, à partir de cet instant, vous devenez des adultes responsables. Votre enfance est finie... »

Je pris note dans ma tête du jour et de l'heure de cette métamorphose, après avoir tiré de mon gousset ma montre de nickel. C'était le 29 septembre 1931, à 12 heures et 18 minutes. J'avais seize ans, six mois, onze jours et des poussières.

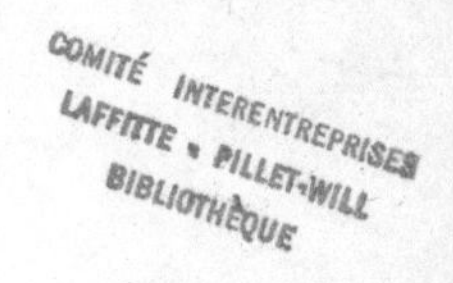

DANS LA MÊME COLLECTION

Déjà parus :

Clément Lépidis
Des Dimanches à Belleville

Jean-Jacques Brochier
Une enfance lyonnaise au temps du Maréchal

Marcel Jullian
Châteaurenard mon soleil

René Henoumont
Café liégeois

Jean Egen
Le Hans du Florival

A paraître :

Gabriel Delaunay
Le Petit Chouan

« Mes montagnes brûlées »,
a été achevé d'imprimer
en décembre 1984 sur les presses
de l'imprimerie Mame à Tours
pour les éditions ACE à Paris.
N° éditeur : 0027
N° impression : 10892
Dépôt légal : janvier 1985
Printed in France.